Grammatik

DaF kompakt A1–B1

Deutsch als Fremdsprache für Erwachsene

Ernst Klett Sprachen
Stuttgart

Die Symbole bedeuten

L: 1   In dieser Lektion im Kurs- bzw. Übungsbuch wird das Grammatikkapitel behandelt.

L: 14 (Trainer)   In dieser Lektion im Intensivtrainer wird das Grammatikkapitel behandelt.

1. Auflage   1 ⁶ ⁵ ⁴ | 2017 16

© Ernst Klett Sprachen GmbH, Stuttgart 2012. Alle Rechte vorbehalten.
Internetadresse: www.klett.de, www.klett.de/dafkompakt

Zusammenstellung und Redaktion: Alexandra Mittler, Angela Fitz-Lauterbach
Beratung: Ilse Sander
Herstellung: Alexandra Veigel-Schall
Gestaltung und Satz: Jasmina Car
Illustrationen: Hannes Rall
Umschlaggestaltung: Annette Siegel
Reproduktion: Meyle + Müller, Medienmanagement, Pforzheim
Druck und Bindung: LCL Dystrybucja Sp. z o.o.
Printed in Poland

ISBN 978-3-12-**676193**-2

9 783126 761932

Vorwort

DaF kompakt A1–B1 Grammatik ist eine Überblicksgrammatik und eignet sich sehr gut zum Nachschlagen und Wiederholen. Sie ist auf **DaF kompakt A1 – B1 Kurs- und Übungsbuch** (Vollband wie auch die Teilbände) sowie die **Intensivtrainer Wortschatz und Grammatik** zugeschnitten und bietet den gesamten Grammatikstoff von A1 bis B1. Sie können diese Grammatik sowohl im Unterricht als auch zum Selbststudium verwenden.

DaF kompakt A1–B1 Grammatik ordnet in zehn Kapiteln alle Grammatikthemen aus dem Kurs- und Übungsbuch von **DaF kompakt A1–B1** systematisch an. Zu jedem Thema finden Sie die Regeln in einfacher Sprache, dazu Beispiele und an passender Stelle Übersichtstabellen.

Verweise bei den Grammatikkapiteln geben die entsprechende Lektion an, in der das jeweilige Grammatikthema behandelt wird:

L: 1 Hier wird z. B. auf Lektion 1 im Kurs- bzw. Übungsbuch verwiesen.

L: 14 (Trainer) Hier wird z. B. auf Lektion 14 im Intensivtrainer verwiesen.

Im Anhang finden Sie Listen der wichtigsten unregelmäßigen und gemischten Verben und der Modalverben, der wichtigsten Verben mit Präpositionalergänzung sowie eine alphabetische Liste mit den im Kurs- und Übungsbuch von **DaF kompakt A1–B1** benutzten Fachbegriffen inkl. Beispielen.

Viel Spaß und viel Erfolg beim Lernen mit der **DaF kompakt A1–B1 Grammatik** wünschen Ihnen der Verlag und das Autorenteam.

Inhaltsverzeichnis

I. Verb

1. Stellung des Verbs im Satz — 6
1.1 Aussagesatz — 6
1.2 W-Frage — 6
1.3 Ja/Nein-Frage — 6
1.4 Imperativsatz — 7
1.5 Satzklammer — 7
1.6 Nebensatz — 7

2. Tempora: Konjugation Aktiv — 8
2.1 Präsens — 8
2.2 Perfekt — 9
2.3 Präteritum — 11
2.4 Plusquamperfekt — 12
2.5 Futur I — 12
2.6 Trennbare und untrennbare Verben — 13
2.7 Modalverben — 14
2.8 Besondere Konstruktionen — 16
2.9 Reflexive Verben — 17

3. Passiv - Konjugation und Funktion — 18
3.1 „werden"-Passiv (= Vorgangspassiv) — 18
3.2 „sein"-Passiv (= Zustandspassiv) — 19

4. Modi — 20
4.1 Imperativ — 20
4.2 Konjunktiv II der Gegenwart — 21

II. Nomen

1. Genus und Numerus — 25
1.1 Genus — 25
1.2 Numerus — 26

2. Deklination — 27
2.1 Unbestimmter Artikel und Negativartikel — 27
2.2 Bestimmter Artikel — 27
2.3 Nullartikel — 28

3. n-Deklination — 29

III. Artikelwörter und Pronomen

1. Personalpronomen — 30
1.1 Bedeutung der Personalpronomen — 30
1.2 Deklination — 30

2. Possessivartikel und Possessivpronomen — 31
2.1 Possessivartikel — 31
2.2 Possessivpronomen — 32

3. Demonstrativartikel und Demonstrativpronomen — 32
3.1 Verweis auf Dinge und Personen: „dies-" und „der" / „das" / „die" — 32
3.2 Verweis auf Identisches: „derselbe", „dasselbe", „dieselbe" — 33

4. Indefinitartikel und Indefinitpronomen — 34
4.1 Indefinitartikel und Indefinitpronomen: „jed-", „ein-", „kein-", „all-", „viel-", „wenig-" — 34
4.2 Indefinitartikel und Indefinitpronomen: „manch-", „einig-" — 34
4.3 Indefinitpronomen: „etwas", „nichts", „man", „jemand", „niemand" — 35
4.4 Indefinitartikel und Indefinitpronomen mit „irgend-" — 35

5. Reflexive / Reziproke Pronomen — 36
5.1 Reflexivpronomen — 36
5.2 Reflexivpronomen mit reziproker Bedeutung — 36

6. Fragewort „wo(r)-" und Präpositionalpronomen (= Präpositionaladverb) „da(r)-" — 37
6.1 Fragewort „wo(r)-" — 37
6.2 Präpositionalpronomen (= Präpositionaladverb) „da(r)-" — 37

IV. Fragewörter

1. „Wer?", „Wen?", „Was?", ...? — 38

2. „Welcher?" / „Welches?" / „Welche?", „Was für ...?" — 38
2.1 „Welcher?" / „Welches?" / „Welche?" — 38
2.2 „Was für ...?" — 38

V. Adjektive

1. Adjektivdeklination — 39
1.1 Adjektive nach bestimmtem Artikel — 39
1.2 Adjektive nach unbestimmtem Artikel — 39
1.3 Adjektive nach Nullartikel — 40
1.4 Partizip Präsens und Perfekt als Adjektive — 40

2. Komparation — 41
2.1 Komparation: prädikativ — 41
2.2 Vergleichssätze — 42
2.3 Komparation: attributiv — 42

VI. Adverbien und Präpositionen

1. Temporalangaben — 43
1.1 Einen Zeitpunkt benennen — 43
1.2 Eine Zeitspanne benennen — 46

2. Lokale Angaben — 47
2.1 Einen Ort angeben — 47
2.2 Eine Richtung angeben — 48
2.3 Wechselpräpositionen — 49
2.4 Zusammensetzung der Präposition mit dem bestimmten Artikel — 50
2.5 „hin-" und „her-" — 50

3. Kausale und andere Präpositionen — 51
3.1 Kausale Präpositionen — 51
3.2 Andere Präpositionen — 51

4. Modale Adverbien — 52

5. Modalpartikeln — 53

VII. Satzkombinationen und Angaben im Satz

1. Hauptsatz – Hauptsatz — 54

2. Hauptsatz – Nebensatz — 55

3. Satzkombinationen und Angaben — 55
3.1 Kausalsätze — 55
3.2 Temporalsätze — 56
3.3 Finalsätze — 58
3.4 Konditionalsätze — 59
3.5 Konzessivsätze — 59
3.6 Konsekutivsätze — 60
3.7 „dass"-Sätze — 60
3.8 Zweiteilige Konnektoren — 61
3.9 Adverbien der Aufzählung — 61
3.10 Indirekte Fragesätze — 62
3.11 Infinitivsätze — 62
3.12 Relativsätze — 63

VIII. Positionen im Satz

1. Subjekt / Nominativergänzung — 65

2. Akkusativ- und Dativergänzung — 65
2.1 Akkusativergänzung — 65
2.2 Dativergänzung — 65
2.3 Stellung von Dativ- und Akkusativergänzung im Satz — 66
2.4 Genitiv — 66

3. Mittelfeld — 67

IX. Negation

1. Negation mit „nicht" — 69
1.1 Wortstellung von „nicht" — 69
1.2 Sätze mit „nicht ..., sondern ..." — 69

2. Negation mit „kein" — 69

3. Besondere Formen der Negation — 70

X. Wortbildung

1. Komposita — 71
1.1 Nomen + Nomen — 71
1.2 Verb / Adjektiv + Nomen — 71

2. Nomen aus Verben, Adjektiven oder Nomen — 72
2.1 Nomen aus dem Infinitiv von Verben — 72
2.2 Nomen aus Adjektiven und Partizipien — 72
2.3 Nomen aus Nomen — 73

3. Adjektive aus Nomen, Verben und Adverbien — 73
3.1 Adjektive mit „-lich" — 73
3.2 Adjektive mit „-isch" — 73
3.3 Adjektive mit „-ig" — 73

4. Diminutiv — 74

XI. Die wichtigsten unregelmäßigen und gemischten Verben und die Modalverben — 75

XII. Die wichtigsten Verben mit Präpositionalergänzung — 82

XIII. Fachbegriffe — 86

I. Verb

1. Stellung des Verbs im Satz

1.1 Aussagesatz `L:1`

In Aussagesätzen steht das Verb auf Position 2.

Position 1	Position 2	
Ich	heiße	Paul.
Ich	wohne	in Mannheim.

Hinweis: Stellung des Subjekts im Satz `L:2`
Das Subjekt steht auf Position 1 oder nach dem Verb.

Position 1	Position 2	
Wir	gehen	am Nachmittag in eine Ausstellung.
Am Nachmittag	gehen	wir in eine Ausstellung.

1.2 W-Frage `L:1`

In W-Fragen steht das Verb auf Position 2.

Position 1	Position 2	
Wie	heißen	Sie?
Woher	kommen	Sie?
Wo	wohnst	du?

1.3 Ja/Nein-Frage `L:1`

In Ja/Nein-Fragen steht das Verb auf Position 1. In Antworten steht das Verb auf Position 2.

Ja/Nein-Frage

Position 1	Position 2	
Kommen	Sie	aus Spanien?
Wohnst	du	in Mannheim?

Antworten

	Position 1	Position 2	
Nein.	Ich	komme	aus Argentinien.
Ja.	Ich	wohne	in Mannheim.

1.4 Imperativsatz L: 6

In Imperativsätzen steht das Verb auf Position 1.

Position 1	
Passen	Sie auf!
Lies	den Artikel!

1.5 Satzklammer L: 3, 4, 5, 17, 27, 28

Manchmal gibt es in einem Satz zwei Verben oder ein Verb mit trennbarer Vorsilbe. Ein Verb oder die trennbare Vorsilbe steht am Satzende. Man spricht dann von einer Satzklammer.

		Satzklammer		
		Position 2		Satzende
mit trennbarer Vorsilbe	Ich	rufe	ihn heute	an.
mit Modalverb	Er	muss	im Supermarkt Tomaten	kaufen.
Perfekt	Wir	haben	ein Auto	gekauft.
Plusquamperfekt	Sie	hatte	das Buch schon	gelesen.
Futur I	Ihr	werdet	den Film	sehen.
Passiv	Die Tasche	wird	von vielen Leuten	bestellt.

Mehr Informationen zur Wortstellung mit Satzklammer finden Sie in den Kapiteln I, 2.2, 2.4 bis 2.7 und 3.

1.6 Nebensatz L: 11, 12

- Der Nebensatz beginnt mit einem Nebensatz-Konnektor (= Subjunktion) und endet mit dem Verb.
- Zwischen Haupt- und Nebensatz steht ein Komma.
- Der Nebensatz kann vor oder nach dem Hauptsatz stehen.

Hauptsatz	Nebensatz		
Bernhard möchte in Köln studieren,	weil	er dort keine Sprachprobleme	hat.
Ingrid besucht Bernhard,	wenn	sie Zeit	hat.
Bernhard hat sich erkältet,	als	er nach Köln gefahren	ist.

Wenn der Nebensatz vor dem Hauptsatz steht, steht das Verb im Hauptsatz auf Position 1.

Nebensatz	Hauptsatz	
Weil Bernhard in Köln keine Sprachprobleme hat,	möchte	er dort studieren.
Wenn Ingrid Zeit hat,	besucht	sie Bernhard.
Als Bernhard nach Köln gefahren ist,	hat	er sich erkältet.

Mehr Informationen zu den Nebensätzen finden Sie im Kapitel VII, 2 und 3.

Verb

2. Tempora: Konjugation Aktiv

2.1 Präsens

Regelmäßige Verben `L:1`

	kommen	wohnen	heißen	arbeiten
ich	komme	wohne	heiße	arbeite
du	kommst	wohnst	heißt	arbeitest
er / sie / es	kommt	wohnt	heißt	arbeitet
wir	kommen	wohnen	heißen	arbeiten
ihr	kommt	wohnt	heißt	arbeitet
sie / Sie	kommen	wohnen	heißen	arbeiten

Hinweis
- Verben mit Verbstammende „s" oder „ß" haben kein extra „-s-" in der Verbform für „du".
  z.B. heißen → du heißt
- Verben mit Verbstammende „t", „d" und manchmal „n" haben ein extra „-e-" nach dem Verbstamm
  in den Formen für „du", „er / sie / es" und „ihr".
  z.B. arbeiten → du arbeitest, finden → du findest
  Ausnahme: halten → du hältst; zeichnen → du zeichnest, aber: lernen → du lernst

„haben" und „sein" `L:1, 4`
- Die Verben „haben" und „sein" haben besondere Formen.
- „haben" verliert in der Form von „du" und „er / sie / es" das „b" am Verbstammende.

	haben	sein
ich	habe	bin
du	hast	bist
er / sie / es	hat	ist
wir	haben	sind
ihr	habt	seid
sie / Sie	haben	sind

Verben mit Vokalwechsel `L: 4`
- Bei vielen unregelmäßigen Verben gibt es einen Wechsel vom Stammvokal bei der 2. und 3. Person Singular.
- Bei „wissen" gibt es den Vokalwechsel auch bei der 1. Person Singular: ich weiß.

	lesen	sprechen / treffen	fahren / schlafen	laufen	wissen
ich	lese	spreche / treffe	fahre / schlafe	laufe	weiß
du	liest	sprichst / triffst	fährst / schläfst	läufst	weißt
er / sie / es	liest	spricht / trifft	fährt / schläft	läuft	weiß
wir	lesen	sprechen / treffen	fahren / schlafen	laufen	wissen
ihr	lest	sprecht / trefft	fahrt / schlaft	lauft	wisst
sie / Sie	lesen	sprechen / treffen	fahren / schlafen	laufen	wissen

Besondere Verwendung vom Präsens `L: 7`

Normalerweise verwendet man das Präsens für die Gegenwart (jetzt, im Moment, immer montags).
Man kann es aber auch so verwenden:

Für Zukünftiges

Verb im Präsens + Zeitangabe für Zukunft (z. B. morgen, in drei Tagen, in zwei Wochen)
z. B. Morgen gehe ich ins Paul-Klee-Museum.
       Das Einsteinhaus besuchen meine Kollegen und ich in zwei Wochen.

Für Vergangenes

Für Biografien oder historische Berichte kann man auch das Präsens verwenden.
Man nennt es dann „historisches Präsens".
z. B. Von 1931 bis 1933 ist Paul Klee Professor an der Kunstakademie in Düsseldorf.
       1940 stirbt Paul Klee in Muralto.

2.2 Perfekt

Das Perfekt bildet man mit „haben" oder „sein" und dem Partizip Perfekt (= Partizip II) vom Verb.

„haben" oder „sein"?

– Die meisten Verben bilden das Perfekt mit „haben".
– Wenige Verben bilden das Perfekt mit „sein":
  – viele Verben der Ortsveränderung, z. B. „gehen", „laufen", „kommen"
  – Verben der Veränderung, z. B. „werden", „wachsen"
  – die Verben „sein", „bleiben", „passieren"

Regelmäßige Verben `L: 4`

– Partizip Perfekt der regelmäßigen Verben: Vorsilbe „ge-" und Endung „-t" oder „-et".
– Partizip Perfekt der Verben auf „-ieren": ohne die Vorsilbe „ge-", aber Endung „-t".

	ge-[…]-(e)t		[…]-t	
ich	habe geschafft	bin gestartet	habe trainiert	–
du	hast geschafft	bist gestartet	hast trainiert	–
er / sie / es	hat geschafft	ist gestartet	hat trainiert	ist passiert
wir	haben geschafft	sind gestartet	haben trainiert	–
ihr	habt geschafft	seid gestartet	habt trainiert	–
sie / Sie	haben geschafft	sind gestartet	haben trainiert	sind passiert

„haben" und „sein" `L: 4`

	sein	haben
ich	bin gewesen	habe gehabt
du	bist gewesen	hast gehabt
er / sie / es	ist gewesen	hat gehabt
wir	sind gewesen	haben gehabt
ihr	seid gewesen	habt gehabt
sie / Sie	sind gewesen	haben gehabt

Die Formen von „haben" und „sein" im Perfekt werden selten gebraucht. Meistens verwendet man
diese Verben im Präteritum.

Unregelmäßige Verben L: 5

- Partizip Perfekt der unregelmäßigen Verben: Vorsilbe „ge-" und Endung „-en".
- Bei unregelmäßigen Verben gibt es oft einen Vokalwechsel.

	lesen	finden	treffen	gehen
ich	habe gelesen	habe gefunden	habe getroffen	bin gegangen
du	hast gelesen	hast gefunden	hast getroffen	bist gegangen
er / sie / es	hat gelesen	hat gefunden	hat getroffen	ist gegangen
wir	haben gelesen	haben gefunden	haben getroffen	sind gegangen
ihr	habt gelesen	habt gefunden	habt getroffen	seid gegangen
sie / Sie	haben gelesen	haben gefunden	haben getroffen	sind gegangen

Gemischte Verben L: 5

- Partizip Perfekt der gemischten Verben: Vorsilbe „ge-" und Endung „-t", wie bei den regelmäßigen Verben.
- Der Stammvokal wechselt wie bei den unregelmäßigen Verben.

	kennen	wissen	denken	bringen
ich	habe gekannt	habe gewusst	habe gedacht	habe gebracht
du	hast gekannt	hast gewusst	hast gedacht	hast gebracht
er / sie / es	hat gekannt	hat gewusst	hat gedacht	hat gebracht
wir	haben gekannt	haben gewusst	haben gedacht	haben gebracht
ihr	habt gekannt	habt gewusst	habt gedacht	habt gebracht
sie / Sie	haben gekannt	haben gewusst	haben gedacht	haben gebracht

Wortstellung L: 4, 11

„haben" und „sein" stehen auf Position 2, das Partizip Perfekt steht am Satzende.

	Position 2		Satzende
Ich	habe	die 21,1 Kilometer in 1:25:41 Stunden	geschafft.
Beate Langer	ist	schon beim „Ironman"	gestartet.

Im Nebensatz stehen „haben" und „sein" am Satzende nach dem Partizip Perfekt.

Hauptsatz		Nebensatz	
Ich freue mich,	weil	ich die 21,1 km in 1:25:41 Stunden	geschafft habe.
Beate Langer ist stolz,	weil	sie schon beim „Ironman"	gestartet ist.

2.3 Präteritum

In Berichten und Geschichten über Vergangenes verwendet man häufig das Präteritum.

„haben" und „sein" `L: 4`

	haben	sein
ich	hatte	war
du	hattest	warst
er/sie/es	hatte	war

	haben	sein
wir	hatten	waren
ihr	hattet	wart
sie/Sie	hatten	waren

Regelmäßige Verben `L: 12`
- Die Signalendung vom Präteritum von regelmäßigen Verben ist „-te-".
- Wenn der Verbstamm auf „-t" oder „-d" endet, steht ein „-e-" zwischen Stamm und Endung.

	suchen	warten	trainieren
ich	suchte	wartete	trainierte
du	suchtest	wartetest	trainiertest
er/sie/es	suchte	wartete	trainierte
wir	suchten	warteten	trainierten
ihr	suchtet	wartetet	trainiertet
sie/Sie	suchten	warteten	trainierten

Unregelmäßige Verben `L: 12`
- Unregelmäßige Verben haben in der Regel einen Vokalwechsel.
- Die 1. und 3. Person Singular haben im Präteritum keine Endung.

	gehen	finden	kommen
ich	ging	fand	kam
du	gingst	fandest	kamst
er/sie/es	ging	fand	kam
wir	gingen	fanden	kamen
ihr	gingt	fandet	kamt
sie/Sie	gingen	fanden	kamen

Gemischte Verben `L: 12`
- Die Signalendung vom Präteritum der gemischten Verben ist „-te-" wie bei den regelmäßigen Verben.
- Die 1. und 3. Person Singular haben im Präteritum keine Endung.
- Der Stammvokal wechselt wie bei den unregelmäßigen Verben.

	rennen	denken	wissen
ich	rannte	dachte	wusste
du	ranntest	dachtest	wusstest
er/sie/es	rannte	dachte	wusste
wir	rannten	dachten	wussten
ihr	ranntet	dachtet	wusstet
sie/Sie	rannten	dachten	wussten

Verb

2.4 Plusquamperfekt L: 27

- Das Plusquamperfekt verwendet man, um auszudrücken, dass in der Vergangenheit etwas vor etwas anderem stattgefunden hat.
- Man bildet das Plusquamperfekt Aktiv mit „haben" oder „sein" im Präteritum und dem Partizip Perfekt. Die Verben, die das Perfekt mit „haben" bilden, bilden auch das Plusquamperfekt mit „haben". Die Verben, die das Perfekt mit „sein" bilden, bilden auch das Plusquamperfekt mit „sein".

		Position 2		Satzende
Eine Freundin wollte mich zum Essen einladen.	Davor	hatte	ich aber schon zu Mittag	gegessen.
Wir haben gestern mit Freunden gekocht.	Davor	waren	wir zum Supermarkt	gegangen.

Oft steht das Plusquamperfekt in einem Nebensatz mit „nachdem", im Hauptsatz steht Präteritum oder Perfekt.
z.B. Nachdem wir es bis zum Bahnhof Zoo geschafft hatten, fing es an zu regnen.
Nachdem wir ein bisschen herumgelaufen waren, haben wir dort gegessen.

2.5 Futur I L: 28

- Das Futur I wird mit den Präsens-Formen von „werden" und dem Infinitiv gebildet.
- „werden" steht auf Position 2, der Infinitiv am Satzende.
- Mit dem Futur I kann man Absichten in der Zukunft und sichere Prognosen ausdrücken.
- Zukünftiges kann man auch im Präsens + Zeitangabe ausdrücken.

	Position 2		Satzende
Zur Vorbereitung	werde	ich einen Schwedischkurs	machen.
Wir	werden	ab August zusammen in Berlin	wohnen.

Vermutung, Zuversicht oder Sicherheit mit Futur I ausdrücken
Mithilfe von Partikeln und Adverbien kann man mit dem Futur I auch Vermutung, Zuversicht oder Sicherheit ausdrücken.

Vermutung: „vermutlich", „wahrscheinlich", „wohl"
z.B. Ich werde vermutlich / wahrscheinlich / wohl Portugal vermissen.
Vermutlich / Wahrscheinlich werde ich Portugal vermissen.
→ „wohl" kann nicht am Satzanfang stehen.

Zuversicht: „schon"
z.B. Es wird schon klappen.

Sicherheit: „bestimmt", „sicher"
z.B. Ich werde als Dolmetscher bestimmt / sicher gute Chancen haben.
Bestimmt / Sicher werde ich als Dolmetscher gute Chancen haben.

12 zwölf

2.6 Trennbare und untrennbare Verben

Verben mit trennbaren Vorsilben L: 5
- Bei Verben mit trennbaren Vorsilben liegt der Akzent immer auf der Vorsilbe.
- Das Verb steht auf Position 2 und die Vorsilbe steht am Satzende.

		Position 2		Satzende
anrufen	Ich	rufe	dich	an.
wegfahren	Morgen	fährst	du	weg.
mitkommen	Leider	kommen	wir nicht	mit.

- Wenn das Verb mit einem Modalverb oder im Futur I steht, bleibt die Vorsilbe am Verb.
- Der Infinitiv steht am Satzende.

	Position 2		Satzende
Ich	will	dich	anrufen.
Ich	werde	dich	anrufen.

- Bei Verben mit trennbaren Vorsilben steht im Partizip Perfekt das „ge-" zwischen der Vorsilbe und dem Verb.
  z.B. Ich habe Sie jetzt schon so oft angerufen. Leider haben Sie nicht zurückgerufen.
- Das Hilfsverb „haben" oder „sein" steht im Perfekt und Plusquamperfekt auf Position 2, das Partizip Perfekt am Satzende.

	Position 2		Satzende
Ich	habe	dich	angerufen.
Ich	hatte	dich	angerufen.

Verben mit untrennbaren Vorsilben L: 5
- Bei Verben mit untrennbaren Vorsilben liegt der Akzent immer auf dem Wortstamm.
- Die Vorsilbe bleibt bei diesen Verben am Verb.
- Verben mit untrennbaren Vorsilben haben im Perfekt kein „ge-".
  z.B. Ich habe Leon am Sonntag besucht. Oliver hat Sarah nicht erreicht.

	Position 2		Satzende
Ich	besuche	Leon am Sonntag.	
Ich	habe	Leon am Sonntag	besucht.
Ich	will	Leon am Sonntag	besuchen.

Untrennbare Vorsilben:
be-: z.B. besuchen
emp-: z.B. empfehlen
ent-: z.B. entscheiden
er-: z.B. erreichen
ge-: z.B. gehören
miss-: z.B. misstrauen
ver-: z.B. vergessen
zer-: z.B. zerbrechen

2.7 Modalverben

Wortstellung in Aussagesätzen und W-Fragen L: 3, 4

Das Modalverb steht auf Position 2, der Infinitiv steht am Satzende.

Position 1	Position 2		Satzende
Sylvie	möchte	einen Deutschkurs	besuchen.
Sylvie	kann	gut	kochen.
Wann	muss	Sylvie das Frühstück	machen?

Modalverben im Präsens L: 3, 4, 6, 13

- Die Modalverben haben im Singular einen Vokalwechsel (Ausnahme: sollen).
- Die 1. und 3. Person Singular haben keine Endung.
- „mögen": Die Form „möcht-" ist der Konjunktiv II von „mögen". Man benutzt sie aber wie ein normales Modalverb im Präsens in der Bedeutung von „etwas (höflich) wünschen".
- Vergleichen Sie: „Ich will Tee." (sehr direkter, unhöflicher Wunsch) – „Ich möchte Tee." (höflicher Wunsch).

	können	dürfen	müssen	wollen	sollen	mögen	
ich	kann	darf	muss	will	soll	mag	möchte
du	kannst	darfst	musst	willst	sollst	magst	möchtest
er/sie/es	kann	darf	muss	will	soll	mag	möchte
wir	können	dürfen	müssen	wollen	sollen	mögen	möchten
ihr	könnt	dürft	müsst	wollt	sollt	mögt	möchtet
sie/Sie	können	dürfen	müssen	wollen	sollen	mögen	möchten

Modalverben im Präteritum L: 12

- Modalverben haben im Präteritum Endungen wie regelmäßige Verben und manchmal einen Vokalwechsel.
- „möcht-" verwendet man nur im Präsens, im Präteritum gebraucht man „wollen".

	können	dürfen	müssen	wollen	sollen	mögen	
ich	konnte	durfte	musste	wollte	sollte	mochte	
du	konntest	durftest	musstest	wolltest	solltest	mochtest	„möcht-" durch Formen von „wollen" ersetzt
er/sie/es	konnte	durfte	musste	wollte	sollte	mochte	
wir	konnten	durften	mussten	wollten	sollten	mochten	
ihr	konntet	durftet	musstet	wolltet	solltet	mochtet	
sie/Sie	konnten	durften	mussten	wollten	sollten	mochten	

Modalverben im Perfekt L: 26

- Das Perfekt der Modalverben bildet man mit „haben" + Infinitiv vom Modalverb. Die Modalverben stehen am Satzende nach dem Infinitiv des zweiten Verbs.
    z.B. In der ersten Zeit in Dresden hat Christian viel arbeiten müssen.
       Er hat daher das Schloss noch nicht besuchen können.
- Das Perfekt der Modalverben wird nur selten verwendet. Meist zieht man das Präteritum vor.
- „möcht-" verwendet man nur im Präsens, im Perfekt gebraucht man „wollen".

	Position 2		Infinitiv	Modalverb
ich	habe			
du	hast			können.
er / sie / es	hat			dürfen.
wir	haben	den Artikel	lesen	müssen.
ihr	habt			wollen.
sie / Sie	haben			sollen.

Modalverben als Vollverben   L: 26 (Trainer)

In einigen Fällen kann der sonst obligatorische Infinitiv auch weggelassen werden. Voraussetzung ist,
dass die Situation völlig klar ist.

z. B. Ich kann Englisch und Französisch (sprechen).
Ich kann heute nicht (kommen). Ich habe einen Termin.
Ich muss nach Deutschland (fahren).
Ich darf das nicht (machen). Mein Vater hat es verboten.
Ich möchte Suppe (essen).
Ich möchte 200 Gramm Käse (kaufen).
Ich will in die Stadt (gehen).
Ich will Kaffee (trinken).

Perfekt vom Modalverb als Vollverb   L: 26 (Trainer)

Modalverben, die als Vollverb – also ohne einen Infinitiv – verwendet werden, werden wie „normale Verben"
konjugiert: „haben" + Partizip Perfekt vom Modalverb (= Vorsilbe „ge-" und Endung „-t").

z. B. Ich habe früher gut Französisch gekonnt.
Er hat gestern nicht ins Büro gemusst.
Als Kind habe ich nie ins Kino gedurft.
Wir haben Kaffee gewollt.
Du hast nach Berlin gesollt, aber du bist nicht gegangen.

Bedeutung der Modalverben   L: 3, 4, 6, 13

Die Modalverben und „brauchen" in der Funktion eines Modalverbs können verschiedene Bedeutungen haben.

– jemand weist an:	Beate soll viel schlafen.
	Beate soll nicht arbeiten.
– es ist (nicht) erlaubt:	Beate darf / kann spazieren gehen.
	Beate darf nicht arbeiten.
– es ist (nicht) nötig:	Beate muss sich ausruhen.
	Beate muss sich nicht ausruhen.
	Beate braucht keine Diät zu machen.
	Beate braucht nicht im Bett zu liegen.
– es ist (nicht) möglich:	Beate kann in Urlaub fahren.
	Beate kann nicht in Urlaub fahren.
– jemand ist (nicht) fähig:	Beate kann gut arbeiten.
	Beate kann nicht gut arbeiten.
– jemand weiß, wie:	Beate kann kochen.
– jemand plant etwas:	Beate will heute Nachmittag spazieren gehen.
– jemand wünscht etwas:	Beate möchte ins Theater gehen.

Besonderheiten

Sollen / Wollen wir . . .? Soll ich . . .? `L: 6`

Sollen / Wollen wir einen Kaffee trinken? = Ich schlage vor, wir trinken einen Kaffee. Möchtest du das auch?

Soll ich helfen? = Ich kann helfen. Möchtest du das?

„brauchen . . . zu" + Infinitiv `L: 13`

„brauchen . . . zu" + Infinitiv steht immer mit „nicht / kein . . .". Die Bedeutung ist „nicht müssen".

z. B. Sie braucht nicht zu kochen. = Sie muss nicht kochen.

In der gesprochenen Sprache hört man oft: „brauchen" + Infinitiv (ohne „zu").

z. B. Du brauchst nicht arbeiten.

„brauchen . . . nur zu" + Infinitiv `L: 28`

„brauchen . . . nur zu" + Infinitiv drückt aus: Man muss nichts anderes als das tun.

z. B. Sie brauchen nur den Vertrag zu unterschreiben. Wir melden Sie dann an.

2.8 Besondere Konstruktionen

„(sich) lassen" + Verb `L: 26`

Das Verb „(sich) lassen" benutzt man oft mit dem Infinitiv von einem zweiten Verb.

z. B. Christian lässt sich in der Informatikabteilung das Passwort vom Computer geben.
   Christian lässt jede Woche sein Auto waschen.

Perfekt der Konstruktion „lassen" + Infinitiv von einem zweiten Verb:

„haben" + zweites Verb im Infinitiv + „lassen" im Infinitiv.

z. B. Christian hat sich schon das Intranet zeigen lassen.
   Christian hat sein Wohnzimmer renovieren lassen.

In Sätzen mit Modalverb steht „lassen" nach dem Infinitiv des zweiten Verbs.

z. B. Christian muss der Personalabteilung den Urlaubsantrag zukommen lassen.
   Christian kann den Artikel nächste Woche drucken lassen.

„lassen" + Nomen / Pronomen `L: 26`

Das Verb „lassen" kann man auch mit einem Nomen bzw. Pronomen im Akkusativ benutzen.

z. B. Christian lässt sein Handy im Büro.
   Christian lässt es im Büro.

Das Perfekt von „lassen" + Nomen bzw. Pronomen bildet man mit „haben" + Partizip Perfekt von „lassen".

z. B. Christian hat sein Handy im Büro gelassen.
   Christian hat seine Tasche im Auto gelassen.

„hören" / „sehen" + Infinitiv `L: 26 (Trainer)`

Die Verben „hören" und „sehen" stehen manchmal in einer Konstruktion mit Akkusativ und dem Infinitiv von einem zweiten Verb.

z. B. Wir hören ihn jeden Tag Gitarre spielen.
   Ich sehe seinen Hut wegfliegen.

Man kann diese Konstruktion auch mit einem „dass"-Satz umschreiben. Der Akkusativ ist im „dass"-Satz ein Nominativ, das Verb ist konjugiert.

z. B. Wir hören, dass er jeden Tag Gitarre spielt.
   Ich sehe, dass sein Hut wegfliegt.

Perfekt der Konstruktion „hören" / „sehen" + Infinitiv von einem zweiten Verb:

„haben" + zweites Verb im Infinitiv + „hören" oder „sehen" im Infinitiv.

z. B. Wir haben ihn jeden Tag Gitarre spielen hören.
   Ich habe seinen Hut wegfliegen sehen.

In Sätzen mit dem Modalverb steht „sehen" oder „hören" nach dem Infinitiv des zweiten Verbs.

z.B. Ich kann seinen Hut wegfliegen sehen.

Wir wollen ihn jeden Tag Gitarre spielen hören.

„bleiben" + Infinitiv L: 26 (Trainer)

Das Verb „bleiben" kann man mit dem Infinitiv von einem zweiten Verb benutzen.

z.B. Ich bleibe im Eingang stehen.

Er bleibt im Bus sitzen.

Perfekt der Konstruktion „bleiben" + Infinitiv von einem zweiten Verb:

Partizip Perfekt von „bleiben" + zweites Verb im Infinitiv.

z.B. Ich bin im Eingang stehen geblieben.

Er ist im Bus sitzen geblieben.

2.9 Reflexive Verben L: 11

Reflexivpronomen können im Akkusativ oder Dativ stehen. Das hängt vom jeweiligen Verb ab.

- Verb mit Reflexivpronomen im Akkusativ,

z.B. sich erholen → Ich hoffe, dass ich mich bald erhole.

- Verb mit Reflexivpronomen im Dativ,

z.B. sich merken → Ich muss mir alle WG-Regeln merken.

- Verb mit Reflexivpronomen im Akkusativ oder Dativ,

z.B. sich waschen → Ich wasche mich. / Ich wasche mir die Haare.

Manche Verben kann man mit und ohne Reflexivpronomen verwenden.

z.B. (sich) erinnern → Erinnerst du dich an die Kölnreise?

aber: Ich erinnere meine Schwester an den Termin.

Die Reflexivpronomen sind in fast allen Formen identisch mit den Personalpronomen.

Ausnahme: In der 3. Person Singular und Plural ist das Reflexivpronomen „sich".

Wortstellung

- Wenn der Satz mit dem Subjekt beginnt, steht das Reflexivpronomen meist hinter dem Verb.
- Wenn der Satz nicht mit dem Subjekt beginnt, steht das Reflexivpronomen hinter dem Subjekt, wenn dies ein Personalpronomen ist. Wenn das Subjekt ein Nomen ist, kann das Reflexivpronomen auch vor dem Subjekt stehen.
- Das Reflexivpronomen steht meist vor Ergänzungen und Angaben. Wenn die Ergänzung jedoch ein Personalpronomen ist, steht das Reflexivpronomen nach dem Personalpronomen.

Ich	erinnere	mich gern an das Fest.	
Heute	fühle	ich mich nicht gut.	
Gestern	hat	sich Peter nicht gut	gefühlt.
Am Abend	hat	Peter sich besser	gefühlt.
Er	hatte	sich ein Medikament aus der Apotheke	geholt.
Ich	werde	es mir auch gleich	kaufen.
Heute	muss	er sich noch	erholen.
Du	machst	dir um ihn zu viele Sorgen.	
Wir	haben	uns alle noch ein paar Tage	erholen müssen.

Mehr Informationen zu den Reflexivpronomen finden Sie im Kapitel III, 5.

3. Passiv: Konjugation und Funktion

3.1 „werden"-Passiv (= Vorgangspassiv) L: 17, 20, 27

Funktion
- Im Aktivsatz ist das „Agens" wichtig. → Wer tut das?
- Im Passivsatz ist die Handlung wichtig. → Was wird getan? Was passiert?
- Die Person, die etwas tut („Agens"), kann im Passivsatz mit „von" + Dativ stehen.

                    Subjekt   Akkusativergänzung
Aktiv: Die Eheleute gründen 1912 die Fabrik.

Passiv: Die Fabrik wird 1912 (von den Eheleuten) gegründet.
             Subjekt   von + „Agens"

Tempusformen L: 17, 20, 27

Das Passiv wird mit einer Form von „werden" und dem Partizip Perfekt gebildet.

	Präsens	Präteritum	Perfekt	Plusquamperfekt
ich	werde aufgenommen	wurde aufgenommen	bin aufgenommen worden	war aufgenommen worden
du	wirst aufgenommen	wurdest aufgenommen	bist aufgenommen worden	warst aufgenommen worden
er / sie / es	wird aufgenommen	wurde aufgenommen	ist aufgenommen worden	war aufgenommen worden
wir	werden aufgenommen	wurden aufgenommen	sind aufgenommen worden	waren aufgenommen worden
ihr	werdet aufgenommen	wurdet aufgenommen	seid aufgenommen worden	wart aufgenommen worden
sie / Sie	werden aufgenommen	wurden aufgenommen	sind aufgenommen worden	waren aufgenommen worden

Passiv Perfekt: Man bildet das Perfekt Passiv mit „sein" im Präsens + Partizip Perfekt + „worden".
In schriftlichen Texten, z. B. in Berichten, verwendet man das Passiv häufiger im Präteritum, in mündlichen Texten häufiger im Perfekt.

Passiv Plusquamperfekt: Man bildet das Plusquamperfekt Passiv mit „sein" im Präteritum + Partizip Perfekt + „worden".

Wortstellung L: 17

		Position 2		Satzende
Präsens	Neue Sorten	werden	jedes Jahr	produziert.
Präteritum	Viele neue Sorten	wurden	in den 60er- und 70er-Jahren	produziert.
Perfekt	Viele neue Sorten	sind	in den 60er- und 70er-Jahren	produziert worden.
Plusquamperfekt	Neue Sorten	waren	schon früher	produziert worden.

„Agens" – ja oder nein? `L: 17`

Wenn nicht wichtig ist, von wem etwas gemacht wurde oder wird, fällt das Agens weg. Passivsätze ohne Agens verwendet man für allgemeine Informationen oder Regeln.

„man" im Aktivsatz = kein Agens im Passivsatz

z.B. Im Museumsshop verkauft man Bücher und Plakate.
  → Im Museumsshop werden Bücher und Plakate verkauft.

z.B. Man schließt das Museum um 18.00 Uhr.
  → Um 18.00 Uhr wird das Museum geschlossen.

Passiv mit Modalverben `L: 20`

Das Passiv mit Modalverben bildet man so:
Konjugierte Form vom Modalverb + „Infinitiv Passiv" (= Partizip Perfekt des „Inhalts-Verbs" + Infinitiv von „werden").

		Position 2		Satzende
Präsens	Die Wunde am Bein	kann	leicht	genäht werden.
Präteritum	Die Wunde am Bein	konnte	leicht	genäht werden.
Perfekt	Die Wunde am Bein	hat	leicht	genäht werden können.
Plusquamperfekt	Die Wunde am Bein	hatte	leicht	genäht werden können.

3.2 „sein"-Passiv (= Zustandspassiv) `L: 20`

Das Passiv mit „werden" bezeichnet einen Vorgang oder Prozess. → Was passiert? / Was ist passiert?

z.B. Die Wunde wird genäht.
  Der Fahrer wird verletzt.

Das Passiv mit „sein" bezeichnet das Ergebnis eines Vorgangs oder einen Zustand. → Wie ist der Zustand jetzt?

z.B. Die Wunde ist (schon) genäht.
  Der Fahrer ist verletzt.

4. Modi

4.1 Imperativ L: 6

Man verwendet den Imperativ für Aufforderungen: höfliche Bitten, Vorschläge, Anweisungen und Anleitungen.
- höfliche Bitte: Komm doch mal bitte!
- Vorschlag: Schauen Sie doch mal nach! / Gehen wir in die Kantine!
- Anweisung: Kopieren Sie den Brief!
- Anleitung: Drücken Sie „Stopp"!

Bei höflichen Bitten und Vorschlägen verwendet man häufig die Modalpartikeln „doch", „mal", „doch mal". „doch" betont den Vorschlag, „mal" macht ihn freundlich. Die Partikeln stehen direkt nach dem Imperativ.
z. B. Gehen Sie doch ins Kino.
       Komm uns mal besuchen.

Pronomen stehen meist vor den Partikeln „doch" / „mal".
z. B. Rufen Sie ihn doch mal an.

Formen

informell Singular	informell Plural	formell
du kommst → Komm!	ihr kommt → Kommt!	Sie kommen → Kommen Sie!
du redest → Rede!	ihr redet → Redet!	Sie reden → Reden Sie!
du wartest → Warte!	ihr wartet → Wartet!	Sie warten → Warten Sie!
du öffnest → Öffne!	ihr öffnet → Öffnet!	Sie öffnen → Öffnen Sie!
du entschuldigst → Entschuldige!	ihr entschuldigt → Entschuldigt!	Sie entschuldigen → Entschuldigen Sie!
du lächelst → Lächle!	ihr lächelt → Lächelt!	Sie lächeln → Lächeln Sie!
du passt auf → Pass auf!	ihr passt auf → Passt auf!	Sie passen auf → Passen Sie auf!

Informeller Imperativ:
- keine Personalpronomen
- Imperativ für „du": Endung „-st" fällt weg
- Imperativ für „ihr": identisch mit der Präsensform
- Verben mit trennbaren Vorsilben: Vorsilbe am Satzende

Imperativ für „du": „-e" am Ende
Bei den meisten Verben sind Imperativformen mit und ohne „-e" möglich.

Aber:
- Verben auf „-d, -t, -n, -m, -ig" erhalten in der Regel die Endung „-e", z. B. Warte!, Öffne!, Atme!
  Ausnahme: Komm!
- Nach „r" bzw. „l" + Konsonant kann man „-e" setzen oder nicht, z. B. Lern(e)!, Halt(e)!
- In der Umgangssprache verwendet man meist die Formen ohne „-e".

Verben auf „-eln"
Das „-e-" von „-eln" fällt weg und ein „-e" kommt ans Ende, z. B. du lächelst → Lächle!

Formeller Imperativ
- mit Personalpronomen
- Verb auf Position 1, „Sie" auf Position 2
- Verben mit trennbaren Vorsilben: Vorsilbe am Satzende

Verben mit Vokalwechsel

Nur die Verben mit Vokalwechsel „e" → „i(e)" haben auch im Imperativ einen Vokalwechsel.

	informell Singular	informell Plural	formell
sprechen	du sprichst → Sprich!	ihr sprecht → Sprecht!	Sie sprechen → Sprechen Sie!
lesen	du liest → Lies!	ihr lest → Lest!	Sie lesen → Lesen Sie!
fahren	du fährst → Fahr!	ihr fahrt → Fahrt!	Sie fahren → Fahren Sie!
laufen	du läufst → Lauf!	ihr lauft → Lauft!	Sie laufen → Laufen Sie!

„haben" und „sein"

informell Singular	informell Plural	formell
du hast → Hab keine Angst!	ihr habt → Habt keine Angst!	Sie haben → Haben Sie keine Angst!
du bist → Sei vorsichtig!	ihr seid → Seid vorsichtig!	Sie sind → Seien Sie vorsichtig!

Vorschläge mit „wir"

Sie wollen mit anderen Personen etwas tun, dann benutzen Sie „wir".

Satz	Bedeutung
Gehen wir doch ins Kino! Kochen wir doch mal zusammen!	Ich schlage vor, wir gehen ins Kino. Ich schlage vor, wir kochen zusammen.

Vorschläge mit „Sollen / Wollen wir . . .?", „Soll ich . . .?"

Satz	Bedeutung
Sollen / Wollen wir einen Kaffee trinken? Soll ich helfen?	Ich schlage das vor. Möchtest du das auch? Ich kann helfen. Möchtest du das?

4.2 Konjunktiv II der Gegenwart

Den Konjunktiv II verwendet man bei „haben", „sein", den Modalverben und einigen häufig gebrauchten unregelmäßigen und gemischten Verben.

„haben", „sein" und „werden" L: 16, 19

- Die Konjunktiv-II-Formen von „haben" und „werden" sind wie das Präteritum + Umlaut.
- Das unregelmäßige Verb „sein" bildet den Konjunktiv II wie das Präteritum + Umlaut + „-e-" (vor der Endung).

	haben	werden	sein
ich	hätte	würde	wäre
du	hättest	würdest	wärest
er / sie / es	hätte	würde	wäre
wir	hätten	würden	wären
ihr	hättet	würdet	wäret
sie / Sie	hätten	würden	wären

Konjunktiv II der Modalverben L: 16

- Die Konjunktiv-II-Formen von den Modalverben „können", „müssen" und „dürfen" sind wie das Präteritum + Umlaut.
- Die Modalverben „sollen" und „wollen" haben im Konjunktiv II keinen Umlaut.
- Zum Konjunktiv II von „mögen" vgl. Kapitel I, 2.7.

	können	dürfen	müssen	wollen	sollen
ich	könnte	dürfte	müsste	wollte	sollte
du	könntest	dürftest	müsstest	wolltest	solltest
er / sie / es	könnte	dürfte	müsste	wollte	sollte
wir	könnten	dürften	müssten	wollten	sollten
ihr	könntet	dürftet	müsstet	wolltet	solltet
sie / Sie	könnten	dürften	müssten	wollten	sollten

Konjunktiv II der unregelmäßigen Verben L: 22

Die Konjunktiv-II-Formen von den unregelmäßigen Verben sind wie das Präteritum + oft auch Vokalwechsel + „-e-" (vor der Endung).

	kommen	gehen	finden	bleiben
ich	käme	ginge	fände	bliebe
du	kämest	gingest	fändest	bliebest
er / sie / es	käme	ginge	fände	bliebe
wir	kämen	gingen	fänden	blieben
ihr	kämet	ginget	fändet	bliebet
sie / Sie	kämen	gingen	fänden	blieben

Konjunktiv II der gemischten Verben L: 22

- Die gemischten Verben bilden den Konjunktiv II wie das Präteritum + Umlaut.
- Die gemischten Verben „nennen", „kennen" und „rennen" bilden den Konjunktiv II mit „e" statt mit Umlaut. In der Regel verwendet man bei diesen drei Verben die Ersatzform mit „würde".

	wissen	bringen	kennen
ich	wüsste	brächte	kennte
du	wüsstest	brächtest	kenntest
er / sie / es	wüsste	brächte	kennte
wir	wüssten	brächten	kennten
ihr	wüsstet	brächtet	kenntet
sie / Sie	wüssten	brächten	kennten

Ersatzform mit „würde" L: 16, 22

Bei regelmäßigen Verben sind die Formen vom Konjunktiv II und vom Präteritum gleich. Deshalb verwendet man „würde" + Infinitiv.

z. B. er schaute nach → er würde nachschauen

Verwendung der Konjunktiv II-Formen

Außer bei „haben", „sein", den Modalverben und einigen häufig gebrauchten unregelmäßigen und gemischten Verben verwendet man den Konjunktiv II kaum. In der gesprochenen Sprache benutzt man meistens „würde" + Infinitiv. Beim Schreiben verwendet man die Ersatzform mit „würde", wenn das Präteritum und der Konjunktiv II gleich sind, z. B.

Konjunktiv II		Ersatzform mit „würde"
ich gratulierte	→	ich würde gratulieren
wir riefen an	→	wir würden anrufen

Verwendung des Konjunktivs II
Höfliche Bitten L: 16

Mit dem Konjunktiv II kann man höfliche Fragen formulieren.

z. B. Dürfte ich eine Frage stellen?
Könnten Sie mir helfen?
Hätten Sie einen Moment Zeit?
Würdest du mir bitte die Zeitung geben?

Ratschläge und Empfehlungen L: 16, 19

Mit dem Konjunktiv II von „sollen", „können" und von „sein" + Adjektiv kann man Empfehlungen und Ratschläge ausdrücken.

z. B. Er könnte ein Buch lesen.
Du solltest mehr Sport machen.
Sofia sollte ein Praktikum machen.
Sie könnte zum Berufsberater gehen.
Es wäre gut, wenn du ins Reisebüro gehst.

Irreale Konditionalsätze (= irreale Bedingungssätze) L: 22

Irreale Konditionalsätze mit dem Konjunktiv II drücken aus, dass die Bedingung im Nebensatz mit „wenn" nicht erfüllt ist. Das bedeutet, dass die Folge nicht oder nur vielleicht realisiert wird.

z. B. Wenn Markus den Paketschein hätte, könnte er nachforschen, wo das Paket von seiner Schwester ist.
→ Markus hat den Paketschein nicht, daher kann er nicht nachforschen, wo das Paket von seiner Schwester ist.

z. B. Wenn seine Schwester im Sommer nach Deutschland kommen könnte, würde sich Markus freuen.
→ Markus freut sich sehr, wenn seine Schwester im Sommer nach Deutschland kommt. Aber es ist noch nicht sicher, dass sie kommen kann.

Nebensatz mit „wenn"	Hauptsatz
Wenn ich nicht so unordentlich wäre,	könnte ich den Paketschein finden.

Hauptsatz	Nebensatz mit „wenn"
Ich könnte den Paketschein finden,	wenn ich nicht so unordentlich wäre.

Irreale Bedingungen kann man auch mit Nebensätzen ohne „wenn" ausdrücken. Dann steht der Nebensatz vor dem Hauptsatz und das Verb im Nebensatz steht auf Position 1.

Nebensatz ohne „wenn"	Hauptsatz
Wäre ich nicht so unordentlich,	könnte ich den Paketschein finden.

Irreale Wunschsätze `L: 23`

Mit irrealen Wunschsätzen drückt man aus, dass man sich etwas wünscht, was im Moment nicht erfüllt werden kann.

Irreale Wunschsätze kann man auf zwei Arten formulieren:
- „wenn" steht am Satzanfang und das Verb im Konjunktiv II steht am Satzende.
  z. B. Wenn ich nur Filme drehen könnte!
  Wenn ich bloß mehr Zeit zum Reisen hätte!
- Das Verb im Konjunktiv II steht am Satzanfang und es gibt kein „wenn".
  z. B. Könnte ich nur Filme drehen!
  Hätte ich bloß mehr Zeit zum Reisen!

Irreale Wünsche verstärkt man oft mit den Modalpartikeln „doch", „(doch) nur", „(doch) bloß".
z. B. Wenn ich (doch) nur Filme drehen könnte!
  Könnte ich (doch) bloß Filme drehen!

Wenn man aus Aussagesätzen irreale Wunschsätze macht, wird aus einer negativen Aussage ein positiver Wunsch und umgekehrt:
- „noch nicht"/„noch kein" ↔ „schon"
  z. B. Er ist noch nicht da. → Wenn er doch schon da wäre!
  Er ist schon weg. → Wenn er doch noch nicht weg wäre!
- „kein- mehr"/„nicht mehr" ↔ „noch"
  z. B. Ich habe keine Zeit mehr. → Wenn ich doch noch Zeit hätte!
  Ich habe noch Schmerzen. → Wenn ich doch keine Schmerzen mehr hätte!

Irreale Annahme `L: 22 (Trainer)`

Mit irrealen Annahmen drückt man aus, dass man nicht sicher ist, ob ein Sachverhalt stimmt. Die Annahmen werden eingeleitet mit Verben wie „denken", „glauben", „meinen", „annehmen". Der Konjunktiv II folgt im Nebensatz mit „dass".
z. B. Peter ist heute hier. – Wirklich? Ich dachte, dass er krank wäre.
  Sie glauben, dass sie den Auftrag bekommen könnten. Aber wir denken das nicht.

Es ist auch möglich, einen zweiten Hauptsatz anzuschließen.
z. B. Peter ist heute hier. – Wirklich? Ich dachte, er wäre krank.
  Sie glauben, sie könnten den Auftrag bekommen. Aber wir denken das nicht.

II. Nomen

1. Genus und Numerus

1.1 Genus L: 2, 8, 14, 26 (Trainer), 30

Das Deutsche kennt drei Genera: Maskulinum, Femininum, Neutrum. Der Artikel trägt die Information zum Genus, wie hier zum Nominativ.

Singular			Plural
Maskulinum (M)	Neutrum (N)	Femininum (F)	M, N, F
der	das	die	die

Meist lässt sich das Genus nicht am Nomen erkennen. Es gibt aber ein paar Regeln.

Maskulinum (M)	Neutrum (N)	Femininum (F)
Bezeichnungen für männliche Personen, z. B. der Mann, der Vater, der Onkel	Ausnahmen, z. B. das Mädchen, das Baby, das Kind	Bezeichnungen für weibliche Personen, z. B. die Frau, die Lehrerin, die Krankenschwester
Jahreszeiten, Monatsnamen, Wochentage und Tageszeiten, z. B. der Sommer, der Juli, der Dienstag, der Abend		Ausnahme die Nacht
	Nomen aus Infinitiven, z. B. das Lesen, das Schreiben	
Nomen mit der Endung -ant: der Praktikant -ent: der Interessent -er: der Lehrer -ler: der Sportler -ismus: der Tourismus -ist: der Spezialist -or: der Doktor	Nomen mit der Endung -chen: das Brötchen -lein: das Jäcklein -ing: das Training -um: das Praktikum	Nomen mit der Endung -ung: die Zeitung -heit: die Mehrheit -keit: die Freundlichkeit -erei: die Spielerei -in: die Studentin -schaft: die Freundschaft -enz: die Konferenz -ik: die Grammatik -ion: die Region -tion: die Operation -tät: die Nationalität

1.2 Numerus L: 3, 14, 26 (Trainer), 30

Im Deutschen gibt es verschiedene Arten, den Plural zu bilden. Es gibt keine eindeutigen Regeln für die Pluralbildung. Lernen Sie daher Nomen immer zusammen mit der Pluralform!

-	der Kuchen	– die Kuchen
¨	der Apfel	– die Äpfel
-e	das Brot	– die Brote
-se	das Ergebnis	– die Ergebnisse
¨e	die Wurst	– die Würste
-er	das Ei	– die Eier
¨er	das Glas	– die Gläser
-n	die Banane	– die Bananen
-en	die Packung	– die Packungen
-nen	die Verkäuferin	– die Verkäuferinnen
-s	das Steak	– die Steaks

Einige hilfreiche Regelmäßigkeiten

– Maskulina auf „-er", „-ler", „-en" und „-el" haben meist keine Endung im Plural (oft aber Umlaut).
z. B. der Lehrer – die Lehrer, der Sportler – die Sportler, der Apfel – die Äpfel, der Garten – die Gärten

– Maskuline Nomen mit den Endungen „-ant", „-ent", „-ist", „-or" bilden den Plural mit „-en".
z. B. der Praktikant – die Praktikanten, der Interessent – die Interessenten, der Spezialist – die Spezialisten, der Doktor – die Doktoren

– Feminine Nomen mit den Endungen „-ung", „-heit", „-keit", „-erei", „-schaft", „-enz", -ik", „-ion", „-tion", „-tät" bilden den Plural mit „-en".
z. B. die Zeitung – die Zeitungen, die Mehrheit – die Mehrheiten, die Freundlichkeit – die Freundlichkeiten, die Spielerei – die Spielereien, die Freundschaft – die Freundschaften, die Konferenz – die Konferenzen, die Grammatik – die Grammatiken, die Region – die Regionen, die Operation – die Operationen, die Nationalität – die Nationalitäten

– Feminine Nomen mit der Endung „-in" bilden den Plural mit „-nen".
z. B. die Studentin – die Studentinnen, die Französin – die Französinnen

– Diminutive mit „-chen", „-lein" haben keine Endung im Plural.
z. B. das Brötchen – die Brötchen, das Männlein – die Männlein

– Nomen mit der Endung „-e" bilden den Plural fast immer mit „-n".
z. B. der Pole – die Polen, das Interesse – die Interessen, die Suppe – die Suppen

– Wörter mit der Endung „-nis" bilden den Plural mit „-se".
z. B. das Ergebnis – die Ergebnisse, das Zeugnis – die Zeugnisse, die Erlaubnis – die Erlaubnisse

– Abkürzungen und viele Fremdwörter aus dem Englischen bilden den Plural mit „-s".
z. B. die Uni – die Unis, die CD – die CDs, das Baby – die Babys

– Bei Wörtern aus anderen Sprachen (z. B. Latein, Griechisch, Französisch) gibt es manchmal besondere Pluralendungen.
z. B. das Praktikum – die Praktika, das Stadium – die Stadien, der Internationalismus – die Internationalismen

2. Deklination

2.1 Unbestimmter Artikel und Negativartikel `L: 2, 9, 16`

Den unbestimmten Artikel „ein / eine" verwendet man:
- wenn eine Information neu oder unbestimmt ist.
  - z.B. Im Kino kommt ein Actionfilm. (→ Man hat vom Actionfilm noch nicht gesprochen und weiß auch nichts Genaues.)
- wenn man ein Objekt aus einer zählbaren Menge meint.
  - z.B. Ich möchte eine Tasse Kaffee. (nicht zwei)
- wenn ein Objekt für eine Gruppe steht.
  - z.B. Ein Haus kostet viel Geld.

Den Negativartikel „kein" verwendet man, wenn man Nomen bzw. Nomen mit Adjektiv mit unbestimmtem Artikel oder Nullartikel negiert.
  - z.B. Das ist kein Hotel.
       Das ist kein gutes Hotel.

	Singular			Plural
	M (Maskulinum)	N (Neutrum)	F (Femininum)	M, N, F
Nom. unbestimmt / Negativartikel	ein / kein Ausflug	ein / kein Konzert	eine / keine Kathedrale	– / keine Söhne
Akk. unbestimmt / Negativartikel	einen / keinen Ausflug	ein / kein Konzert	eine / keine Kathedrale	– / keine Söhne
Dat. unbestimmt / Negativartikel	einem / keinem Ausflug	einem / keinem Konzert	einer / keiner Kathedrale	– / keinen Söhne**n**
Gen. unbestimmt / Negativartikel	eines / keines Ausflug**s**	eines / keines Konzert**s**	einer / keiner Kathedrale	– / keiner Söhne

Mehr Informationen zum Negativartikel „kein-" finden Sie im Kapitel IX, 2.

2.2 Bestimmter Artikel `L: 2, 9, 16`

Den bestimmten Artikel „der", „das", „die" verwendet man:
- wenn eine Information nicht neu oder bestimmt ist.
  - z.B. Im Kino kommt ein Actionfilm. Der Actionfilm beginnt um 21.00 Uhr.
       Das ist der Bruder von meiner Freundin.
- wenn es um ein ganz bestimmtes Objekt geht, das es nur einmal gibt, wie Berge, Flüsse, Seen, Meere, Sehenswürdigkeiten.
  - z.B. die Zugspitze, der Rhein, der Bodensee, die Ostsee, das Brandenburger Tor

	M (Maskulinum)	N (Neutrum)	F (Femininum)	Plural (M, N, F)
Nom. bestimmt	der Ausflug	das Konzert	die Kathedrale	die Söhne
Akk. bestimmt	den Ausflug	das Konzert	die Kathedrale	die Söhne
Dat. bestimmt	dem Ausflug	dem Konzert	der Kathedrale	den Söhne**n**
Gen. bestimmt	des Ausflug**s**	des Konzert**s**	der Kathedrale	der Söhne

Anmerkung zum Dativ `L: 9`
Nomen im Dativ Plural haben immer die Endung „-n", außer Nomen auf „-s" im Plural.
  - z.B. das T-Shirt – die T-Shirts – mit den T-Shirts

Anmerkungen zum Genitiv `L: 2, 16` ▶

Nomen im Genitiv Maskulinum und Neutrum
- Nomen im Genitiv Maskulinum und Neutrum enden auf „-s" oder „-es".
- Bei Nomen mit „-s", „-z", „-ß", „-x" am Ende steht immer „-es".
  z. B. des Hauses, des Platzes, des Flusses, des Faxes
- Bei einsilbigen Nomen steht oft „-es".
  z. B. des Plans / des Planes
- Bei Nomen mit mehreren Konsonanten am Ende bildet man den Genitiv auch öfters mit „-es".
  z. B. das Geschenk – des Geschenks / des Geschenkes
- Wenn die Endung „-es" nicht obligatorisch ist, benutzt man sie fast nur im gehobenen Sprachstil.
  z. B. eines schönen Tages

Genitiv bei Nomen ohne Artikel
Bei Nomen ohne Artikel verwendet man anstelle vom Genitiv „von" + Dativ.
z. B. die Behandlung von Kranken

Genitiv bei Eigennamen
- Bei vorangestellten Namen steht „-s" am Namen.
  z. B. die Mutter von Silke → Silkes Mutter
- Namen mit „-s" oder „-z" am Ende erhalten einen Apostroph.
  z. B. die Mutter von Thomas → Thomas' Mutter, der Vater von Franz → Franz' Vater
- Die Variante „von + Name" (z. B. die Mutter von Silke) benutzt man oft in der gesprochenen Sprache.
  In der Schriftsprache sollte man sie nicht verwenden.

2.3 Nullartikel `L: 2, 3` ▶

In manchen Situationen (s. unten) steht das Nomen ohne Artikel. Dieses grammatische Phänomen nennt man „Nullartikel".

Verwendung des Nullartikels:
- Der unbestimmte Artikel im Plural ist ein Nullartikel, z. B. eine Aufgabe – Aufgaben.

Außerdem verwendet man den Nullartikel:
- bei Eigennamen
  z. B. Er heißt Carlos und wohnt in Mannheim.
- bei Berufsbezeichnungen
  z. B. Er ist Arzt. Er arbeitet als Assistenzarzt.
- bei Nationalitätsangaben
  z. B. Sie ist Schweizerin.
- bei Sprachangaben
  z. B. Sie spricht Deutsch und Englisch.
- bei unbestimmten Mengen
  z. B. Wir brauchen Kaffee. Er kauft Eier.

3. n-Deklination L: 9

Maskuline Nomen, die im Plural die Endung „-n" oder „-en" haben, haben auch im Singular Akkusativ, Dativ und Genitiv die Endung „-n" oder „-en".
Dazu gehören:
– alle Nomen im Maskulinum mit den Endungen „-e", „-and", „-ant", „-at", „-ent", „-ist", „-oge".
  z.B. der Kollege, der Doktorand, der Praktikant, der Automat, der Student, der Journalist, der Soziologe
– einige Nomen im Maskulinum ohne Endung.
  z.B. der Nachbar, der Bär
– männliche Berufsbezeichnungen aus anderen Sprachen (z.B. Griechisch).
  z.B. der Architekt, der Fotograf, der Philosoph

Zur n-Deklination gehören nicht:
– Nomen auf „-or".
  z.B. der Professor – die Professoren, aber: den Professor
– einige andere Nomen mit Plural auf „-en".
  z.B. der Staat – die Staaten, aber: den Staat

	Singular	Plural
Nom.	der / ein Nachbar / Kollege / Student	die / – Nachbarn / Kollegen / Studenten
Akk.	den / einen Nachbarn / Kollegen / Studenten	die / – Nachbarn / Kollegen / Studenten
Dat.	mit dem / einem Nachbarn / Kollegen / Studenten	mit den / – Nachbarn / Kollegen / Studenten
Gen.	des Nachbarn / Kollegen / Studenten	der / – Nachbarn / Kollegen / Studenten

Nomen der n-Deklination haben die Genitivendung „-n" oder „-en", nicht „-(e)s".
Ausnahmen: der Name – des Nam**ens**, der Buchstabe – des Buchstab**ens**, der Gedanke – des Gedank**ens**, das Herz – des Herz**ens**

Die Formen von „der Herr" weichen von der Regel ab. Im Singular erhält „der Herr" die Endung „-n", im Plural aber „-en".

	Singular	Plural
Nom.	der / ein Herr	die / – Herren
Akk.	den / einen Herrn	die / – Herren
Dat.	mit dem / einem Herrn	mit den / – Herren
Gen.	des / eines Herrn	der / – Herren

III. Artikelwörter und Pronomen

1. Personalpronomen   L: 1, 2, 9

1.1 Bedeutung der Personalpronomen

„er", „sie", „es" / „sie" (Plural) beziehen sich auf vorher genannte Personen oder Sachen.

z. B. Hier sitzt meine Kollegin. → Sie (meine Kollegin) ist sehr nett. Ich arbeite gern mit ihr (meiner Kollegin) zusammen.

Das ist ein Stuhl. → Er (Der Stuhl) ist braun. Ich kaufe ihn (den Stuhl).

Das sind meine Lehrbücher. → Ich benutze sie viel.

„ich" und „du" / „Sie" verweisen auf den Sprecher und auf die Person, die der Sprecher anspricht (= Adressat), in informellen / formellen Situationen.

z. B. Hier arbeite ich. Wo arbeitest du? (informell)

Hier arbeite ich. Wo arbeiten Sie? (formell)

„wir" bezieht sich auf den Sprecher und eine andere Person.

z. B. Wir machen das zusammen.

„ihr" / „Sie" bezieht sich auf mehrere Personen, die der Sprecher anspricht (Adressaten), in informellen / formellen Situationen.

z. B. Was macht ihr heute? (informell)

Was machen Sie heute? (formell)

 ich: Sprecher

 wir: Sprecher + Adressat(en)

 du: Adressat (Singular, informell)

 **ihr**: Adressaten (Plural, informell)

 er: Person oder Sache Maskulinum

 **sie**: Personen oder Sachen Plural

 sie: Person oder Sache Femininum

 **Sie**: Adressat(en) (Singular oder Plural, formell)

 es: Person oder Sache Neutrum

1.2 Deklination

Nom.	ich	du	er	sie	es	wir	ihr	sie / Sie
Akk.	mich	dich	ihn	sie	es	uns	euch	sie / Sie
Dat.	mir	dir	ihm	ihr	ihm	uns	euch	ihnen / Ihnen

Personalpronomen sind im Genus und Numerus mit dem Nomen identisch.

z. B. Das ist mein Bruder. → Er (Mein Bruder) ist 27 Jahre alt.

Dort steht mein Vater. → Kennst du ihn (meinen Vater).

Meine Schwester hat eine blaue Jacke. → Sie (Die blaue Jacke) passt ihr (meiner Schwester) gut.

Mein Bruder hat ein neues Auto. → Er (Mein Bruder) hat es (das Auto) erst zwei Tage.

2. Possessivartikel und Possessivpronomen

2.1 Possessivartikel L: 3, 9

– Der Possessivartikel bezieht sich auf den Besitzer und beantwortet die Frage: Wer hat etwas?
– Die Endung vom Possessivartikel bezieht sich in Genus und Kasus auf das Besitztum.

z. B. Ich habe eine Tasche.   → Es ist meine Tasche.
  → Der Sprecher ist der Besitzer, deshalb der Possessivartikel „mein".
  Der Possessivartikel bekommt die Endung für Femininum Nominativ Singular, weil „die Tasche"
  (das Besitztum) dieses Genus (Femininum) hat und im Satz im Nominativ Singular steht.

z. B. Das ist die Mutter von Lisa.   → Das ist ihre Mutter.
  Ich kenne den Vater von Lisa.   → Ich kenne ihren Vater.
  → Lisa ist die „Besitzerin", deshalb der Possessivartikel „ihr" (Femininum Singular).
  Der Possessivartikel bekommt für „die Mutter" die Endung für Femininum Nominativ Singular,
  für „den Vater" die Endung für Maskulinum Akkusativ Singular.

z. B. Das ist die Mutter von Franz.   → Das ist seine Mutter.
  Ich kenne den Vater von Franz.   → Ich kenne seinen Vater.
  → Franz ist der „Besitzer", deshalb der Possessivartikel „sein" (Maskulinum Singular).
  Der Possessivartikel bekommt für „die Mutter" die Endung für Femininum Nominativ Singular,
  für „den Vater" die Endung für Maskulinum Akkusativ Singular.

Possessivartikel im Nominativ

	M (Maskulinum)		N (Neutrum)		F (Femininum)		Plural (M, N, F)	
ich	mein		mein		meine		meine	
du	dein		dein		deine		deine	
er + es / sie	sein / ihr		sein / ihr		seine / ihre		seine / ihre	Söhne,
wir	unser	Sohn	unser	Kind	unsere	Tochter	unsere	Kinder,
ihr	euer		euer		eure		eure	Töchter
sie / Sie	ihr / Ihr		ihr / Ihr		ihre / Ihre		ihre / Ihre	

Die Endungen vom Possessivartikel sind identisch mit den Endungen vom unbestimmten Artikel (ein-) und
Negativartikel (kein-).

	M (Maskulinum)	N (Neutrum)	F (Femininum)	Plural (M, N, F)
Nom.	mein Sohn	mein Kind	meine Tochter	meine Söhne / Kinder / Töchter
Akk.	meinen Sohn	mein Kind	meine Tochter	meine Söhne / Kinder / Töchter
Dat.	meinem Sohn	meinem Kind	meiner Tochter	meinen Söhnen / Kindern / Töchtern
Gen.	meines Sohnes	meines Kindes	meiner Tochter	meiner Söhne / Kinder / Töchter

– Die Endungen für die anderen Possessivartikel sind gleich.
– Nur der Possessivartikel „euer" + Endung verändert sich: Stamm „eur-" + Endung.
  z. B. eu~~e~~re → eure, eu~~e~~ren → euren, eu~~e~~rer → eurer

2.2 Possessivpronomen L: 10

Die Endungen vom Possessivpronomen sind identisch mit denen vom bestimmten Artikel.

	M (Maskulinum)	N (Neutrum)	F (Femininum)	Plural (M, N, F)
Nom.	der → meiner	das → meins	die → meine	die → meine
Akk.	den → meinen	das → meins	die → meine	die → meine
Dat.	dem → meinem	dem → meinem	der → meiner	den → meinen

Die Endungen der anderen Possessivpronomen sind gleich.
z. B. Wem gehört das Buch? – Es ist deins.
Ist das Lisas Schlüssel? – Ja, das ist ihrer.

Wie beim Possessivartikel hängt man bei „euer" die Endung an den Stamm „eur-" an.
z. B. Mit welchem Auto fahren wir? – Mit eurem.

3. Demonstrativartikel und Demonstrativpronomen

3.1 Verweis auf Dinge und Personen: „dies-" und „der" / „das" / „die" L: 14, 30

Demonstrativartikel und Demonstrativpronomen weisen genauer auf eine Person oder Sache hin.
– „dies-" kann als Demonstrativartikel (mit Nomen) oder als Demonstrativpronomen (für das Nomen)
  verwendet werden. „dies-" hat die Endungen vom bestimmten Artikel.
– Der bestimmte Artikel „der" / „das" / „die" kann auch als Demonstrativartikel oder als Demonstrativpronomen
  verwendet werden.

Demonstrativartikel
z. B. Welchen Pullover findest du besser? – Diesen / Den Pullover hier.
Welches Kleid gefällt dir am besten? – Dieses / Das geblümte (Kleid).
Zu welchen Jeans passt meine Bluse? – Zu diesen / den schwarzen Jeans.

	M (Maskulinum)	N (Neutrum)	F (Femininum)	Plural (M, N, F)
Nom.	Welcher Pullover? → dieser / der Pullover	Welches Modell? → dieses / das Modell	Welche Jacke? → diese / die Jacke	Welche Jacken? → diese / die Jacken
Akk.	Welchen Pullover? → diesen / den Pullover	Welches Modell? → dieses / das Modell	Welche Jacke? → diese / die Jacke	Welche Jacken? → diese / die Jacken
Dat.	Zu welchem Pullover? → zu diesem / dem Pullover	Zu welchem Modell? → zu diesem / dem Modell	Zu welcher Jacke? → zu dieser / der Jacke	Zu welchen Jacken? → zu diesen / den Jacken
Gen.	Wessen Kragen? → dieses / des Pullovers	Wessen Kragen? → dieses / des Modells	Wessen Kragen? → dieser / der Jacke	Wessen Kragen? → dieser / der Jacken

Demonstrativpronomen

z. B. Welchen Pullover findest du besser? – Diesen / Den hier.
Welches Kleid gefällt dir am besten? – Dieses / Das da.
Zu welchen Jeans passt meine Bluse? – Zu diesen / denen dort.

	M (Maskulinum)	N (Neutrum)	F (Femininum)	Plural (M, N, F)
Nom.	Welcher Pullover? → dieser / der	Welches Modell? → dieses / das	Welche Jacke? → diese / die	Welche Jacken? → diese / die
Akk.	Welchen Pullover? → diesen / den	Welches Modell? → dieses / das	Welche Jacke? → diese / die	Welche Jacken? → diese / die
Dat.	Zu welchem Pullover? → zu diesem / dem	Zu welchem Modell? → zu diesem / dem	Zu welcher Jacke? → dieser / der	Zu welchen Jacken? → zu diesen / denen
Gen.	Wessen Kragen? → dieses / dessen	Wessen Kragen? → dieses / dessen	Wessen Kragen? → dieser / deren / derer	Wessen Kragen? → dieser / deren / derer

– „der"/„das"/„die" im Dativ Plural und Genitiv sind identisch mit den Relativpronomen.
– Die Demonstrativpronomen werden nur sehr selten im Genitiv verwendet.
z. B. Wir besuchen Meike und deren Eltern. („deren" weist zurück – auf den 1. Satzteil)
Das darf nicht auf Kosten derer geschehen, die kein Geld haben. („derer" weist voraus – auf den 2. Satzteil).

3.2 Verweis auf Identisches: „derselbe", „dasselbe", „dieselbe" L: 27

„derselbe", „dasselbe", „dieselbe" etc. bezeichnen eine Sache oder eine Person, die mit einer Sache oder Person, die vorher oder nachher erwähnt wird, identisch ist.

Es wird als Demonstrativpronomen oder Artikelwort verwendet.
z. B. Dasselbe habe ich auch gedacht. (Was du gesagt hast.)
Das ist nicht mehr dieselbe Stadt, in der wir vor 30 Jahren studiert haben.

Es besteht aus zwei Wortteilen: Der erste Wortteil („der-"/„das-"/„die-") wird wie der bestimmte Artikel dekliniert, der zweite Wortteil („-selb-") bekommt die Adjektivendungen wie nach dem bestimmten Artikel.
z. B. der große Platz → derselbe Platz

	M (Maskulinum)	N (Neutrum)	F (Femininum)	Plural (M, N, F)
Nom.	derselbe	dasselbe	dieselbe	dieselben
Akk.	denselben	dasselbe	dieselbe	dieselben
Dat.	demselben	demselben	derselben	denselben
Gen.	desselben	desselben	derselben	derselben

In der Umgangssprache heißt es oft:
– an + demselben = am selben
– bei + demselben = beim selben
– in + demselben = im selben
– von + demselben = vom selben
– zu + demselben = zum selben
– zu + derselben = zur selben

Zur Betonung sagt man auch: „ein und derselbe", „ein und dasselbe", „ein und dieselbe".

4. Indefinitartikel und Indefinitpronomen

4.1 Indefinitartikel und Indefinitpronomen: „jed-", „ein-", „kein-", „all-", „viel-", „wenig-" `L: 3, 7, 14`

Die Indefinitpronomen drücken eine unbestimmte Anzahl aus, z. B.
- 10 Leute = 100 % = alle
- alle, aber einzeln = jeder (von den 10)
- 8 Leute = viele
- 3 Leute = wenige
- 0 Leute = keiner

- „jed-", „all-", „viel-", „wenig-" haben sowohl als Artikelwort als auch als Pronomen die gleichen Endungen wie der bestimmte Artikel.
- „ein-" und „kein-" haben als Artikelwörter die gleichen Endungen wie der unbestimmte Artikel, als Pronomen die gleichen Endungen wie der bestimmte Artikel.

	M (Maskulinum)	N (Neutrum)	F (Femininum)	Plural (M, N, F)
Nom.	jeder (Mann) (k)ein Mann / (k)einer	jedes (Fest) (k)ein Fest / (k)eins	jede (Tasche) (k)eine (Tasche)	alle / viele / wenige (Feste) keine (Feste)
Akk.	jeden (Mann) (k)einen (Mann)	jedes (Fest) (k)ein Fest / (k)eins	jede (Tasche) (k)eine (Tasche)	alle / viele / wenige (Feste) keine (Feste)
Dat.	jedem (Mann) (k)einem (Mann)	jedem (Fest) (k)einem (Fest)	jeder (Tasche) (k)einer (Tasche)	allen / vielen / wenigen (Festen) keinen (Festen)
Gen.	jedes Mannes (k)eines Mannes	jedes Festes (k)eines Festes	jeder Tasche (k)einer Tasche	aller / vieler / weniger (Feste) keiner Feste

Das Indefinitpronomen „ein-" gibt es nur im Singular. Der Plural wird ersetzt durch „welch-".
z. B. Hast du einen Bleistift? – Ja, ich habe einen.
Nein, ich habe keinen.
Hast du Bleistifte? – Ja, ich habe welche.
Nein, ich habe keine.

4.2 Indefinitartikel und Indefinitpronomen: „manch-", „einig-" `L: 29`

„manch-" im Singular und Plural und „einig-" im Plural drücken eine unbestimmte, nicht sehr große Anzahl aus. Die Endungen sind wie beim bestimmten Artikel.
z. B. Mit manchem (Politiker) kommt man gut ins Gespräch.
Manche beurteilen das negativ, ich finde das gut.
Manche Politiker vertreten ihre Wähler nicht gut.
Einige (Wähler) beschweren sich deshalb.

„einig-" im Singular bezeichnet eine nicht sehr große Menge und wird gebraucht als:
- Indefinitpronomen im Neutrum.
  z. B. In dem Artikel stand einiges über den Politiker.
- Indefinitartikel zusammen mit Nomen, die unzählbar sind.
  z. B. In dem Artikel stand einiges Neue über den Politiker.
  Nach einiger Zeit wussten es alle, er hatte einigen Alkohol getrunken.

	M (Maskulinum)	N (Neutrum)	F (Femininum)	Plural (M, N, F)
Nom.	mancher / (einiger)	manches / einiges	manche / (einige)	manche / einige
Akk.	manchen / (einigen)	manches / einiges	manche / (einige)	manche / einige
Dat.	manchem / (einigem)	manchem / einigem	mancher / (einiger)	manchen / einigen
Gen.	manches / (einiges)	manches / einiges	mancher / (einiger)	mancher / einiger

4.3 Indefinitpronomen: „etwas", „nichts", „man", „jemand", „niemand" `L: 7, 12`

etwas = eine unbestimmte Sache
z.B. Ich bringe etwas zur Party mit. (Ich weiß noch nicht, was.)

nichts = keine Sache
z.B. Ich bringe nichts zur Party mit. (Ich bringe keine Wurst / kein Geschenk / kein … zur Party mit.)

man = die Menschen allgemein (+ Verb im Singular)
z.B. Man bringt zu einer Party ein Geschenk mit. (Es ist eine Regel: Menschen bringen zu einer Party ein Geschenk mit.)

jemand = eine unbestimmte Person
z.B. Jemand hat angerufen. (Eine Person, aber ich weiß nicht, wer.)

niemand = keine Person
z.B. Niemand ist gekommen. (= Keiner ist gekommen.)

Nom.	man	jemand	niemand	etwas / nichts
Akk.	einen	jemanden	niemanden	etwas / nichts
Dat.	einem	jemandem	niemandem	mit etwas / nichts
Gen.	eines (ungebräuchlich)	jemandes	niemandes	wegen etwas / nichts

4.4 Indefinitartikel und Indefinitpronomen mit „irgend-" `L: 22`

Die Vorsilbe „irgend-" verstärkt die Bedeutung von „etwas ist unbestimmt".

„irgend" kann stehen:
- vor Fragewörtern, z.B. wann → irgendwann, wie → irgendwie, wo → irgendwo.
- vor unbestimmten Artikelwörtern, z.B. ein → irgendein.
- vor Indefinitpronomen, z.B. jemand → irgendjemand, wer / wen / wem → irgendwer / irgendwen / irgendwem, etwas → irgendetwas (umgangssprachlich: was → irgendwas).
z.B. Gib mir bitte den Kalender. Er liegt irgendwo auf dem Schreibtisch.
 Bring mir bitte irgendeinen Krimi aus der Bibliothek mit.
 Irgendjemand / Irgendwer wollte dich sprechen. Ich weiß nicht, wer es ist.

Einige Adverbien kann man mit „n-" verneinen: nirgendwo = nirgends, nirgendwohin, nirgendwoher.
z.B. Ich kann deine Tasche nicht finden. Ich habe sie nirgendwo gesehen.
 Sollen wir in die Stadt gehen? – Nein, ich möchte nirgendwohin gehen, ich möchte zu Hause bleiben.

5. Reflexive / Reziproke Pronomen

5.1 Reflexivpronomen L: 11

Reflexivpronomen zeigen, dass sich etwas (eine Handlung, eine Überlegung oder ein Gefühl) auf ein bestimmtes Satzglied (Subjekt, Ergänzung) bezieht.
Reflexivpronomen können im Akkusativ oder Dativ stehen. Das hängt vom jeweiligen Verb ab.
– Verb mit Reflexivpronomen im Akkusativ,
    z.B. sich erholen → Ich hoffe, dass ich mich bald erhole.
– Verb mit Reflexivpronomen im Dativ,
    z.B. sich merken → Ich muss mir alle WG-Regeln merken.
– Verb mit Reflexivpronomen im Akkusativ oder Dativ,
    z.B. sich waschen → Ich wasche mich. / Ich wasche mir die Haare.
Manche Verben kann man mit und ohne Reflexivpronomen verwenden.
z.B. (sich) erinnern → Erinnerst du dich an die Kölnreise?
        aber: Ich erinnere meine Schwester an den Termin.

Akk. Personalpronomen	Akk. Reflexivpronomen	Dat. Personalpronomen	Dat. Reflexivpronomen
mich	mich	mir	mir
dich	dich	dir	dir
ihn / sie / es	**sich**	ihm / ihr / ihm	**sich**
uns	uns	uns	uns
euch	euch	euch	euch
sie / Sie	**sich**	ihnen / Ihnen	**sich**

Wortstellung
Reflexivpronomen haben die gleiche Wortstellung wie Personalpronomen.
z.B. Ruth hat sich gestern ein Buch gekauft.
        Ruth hat es sich gestern gekauft.
        Gestern hat sie sich ein Buch gekauft.

Ausnahme: Wenn der Satz nicht mit dem Subjekt beginnt und das Subjekt ein Nomen ist, kann das Reflexivpronomen auch vor dem Subjekt stehen.
z.B. Gestern hat sich Ruth ein Buch gekauft.

5.2 Reflexivpronomen mit reziproker Bedeutung L: 25

– Reflexivpronomen können eine reziproke Bedeutung haben. Sie bedeuten dann „einander" / „gegenseitig".
– In dieser Bedeutung verwendet man sie im Singular nur mit „man" und im Plural in allen Personen.

	Singular	Plural		
	man	wir	ihr	sie / Sie
(sich) begrüßen	man begrüßt sich	wir begrüßen uns	ihr begrüßt euch	sie / Sie begrüßen sich
(sich) zunicken	man nickt sich zu	wir nicken uns zu	ihr nickt euch zu	sie / Sie nicken sich zu

– „gegenseitig" betont die reziproke Bedeutung des Pronomens. Das Reflexivpronomen bleibt hier erhalten.
    z.B. Malika und Astrid helfen sich gegenseitig.
– „einander" betont die reziproke Bedeutung. In diesem Fall fällt das Reflexivpronomen weg.
    z.B. Malika und Astrid helfen einander.
– In Verbindung mit einer Präposition verwendet man meist „einander".
    z.B. Malika und Astrid warten auf sich. → Malika und Astrid warten aufeinander.
    Achtung: Die Präposition und das Pronomen werden zusammengeschrieben.

6. Fragewort „wo(r)-" und Präpositionalpronomen (= Präpositionaladverb) „da(r)-"

6.1 Fragewort „wo(r)-" `L: 24`

Bei Verben mit einer festen Präposition wird die Präposition zusammen mit dem Fragewort genannt.
Man unterscheidet dabei nach:

Fragen nach Sachen
Fragen mit „was" + Präposition → „wo(r)-" + Präposition
z.B. danken für: Wofür dankt Frau Egger Bernd? → Sie dankt Bernd für die Bewerbung.
  (umgangssprachlich hört man auch: „Für was dankt Frau Egger Bernd?")
  sich freuen auf: Worauf freut sich Bernd? → Er freut sich auf die Arbeit bei Eggers.
  sich ärgern über: Worüber ärgert sich Bernd? → Er ärgert sich über das schlechte Wetter.
  sich erkundigen nach: Wonach erkundigt sich Bernd? → Er erkundigt sich nach seinen Aufgaben.

Wenn die Präposition mit einem Vokal beginnt, steht zwischen „wo-" und der Präposition ein „r".

Fragen nach Personen
Fragen mit „wen", „wem" + Präposition
z.B. sich freuen auf: Auf wen freut sich Bernd? → Er freut sich auf seine Freunde aus Chur.
  sich ärgern über: Über wen ärgert sich Bernd? → Er ärgert sich über die Nachbarn.
  sich erkundigen nach: Nach wem erkundigt sich Bernd? → Er erkundigt sich nach seinen Freunden.

6.2 Präpositionalpronomen (= Präpositionaladverb) „da(r)-" `L: 24`

Das Präpositionalpronomen „da(r)-" verweist auf ein Nomen mit Präposition, wenn es sich um eine Sache
handelt, oder auf einen ganzen Satz.

z.B. Bernd hat ein kleines Zimmer. Darin stehen nur wenige Möbel.
  (= In dem Zimmer stehen nur wenige Möbel.)
  Bernd arbeitet bei Frau Egger. Er freut sich darüber.
  (= darüber, dass er bei Frau Egger arbeitet)
  Frau Egger kann Bernd für die Arbeit nicht bezahlen. Dafür hat Bernd Verständnis.
  (= dafür, dass Frau Egger ihn für die Arbeit nicht bezahlen kann)

Wenn die Präposition mit einem Vokal beginnt, steht zwischen „da-" und der Präposition ein „r".

Präpositionalpronomen können auf den vorangehenden Satz verweisen (Rückverweis) oder auf den nächsten
Satz verweisen (Vorwärtsverweis).

z.B. **Rückverweis:** Bernd bleibt drei Monate. Darauf kann sich Frau Egger verlassen.

  Vorwärtsverweis: Frau Egger kann sich darauf verlassen, dass Bernd drei Monate bleibt.

IV. Fragewörter

1. „Wer?", „Wen?", „Was?", . . .? `L: 1, 2, 3, 4, 9, 12, 16`

Wer?	Subjekt (Person)	Wer kommt mit? – Ich.
Wen?	Akkusativergänzung (Person)	Wen siehst du? – Meinen Bruder.
Was?	Subjekt oder Akkusativergänzung (Sache)	Was kommt im Kino? – Ein Actionfilm. Was kaufst du? – Tomaten.
Wem?	Dativergänzung (Person)	Wem hilfst du? – Meinem Vater.
Wessen?	Possessiv / Genitivergänzung	Wessen Buch ist das? – Das Buch meiner Schwester. / Das Buch von meiner Schwester. / Mein Buch. Wessen gedenken die Deutschen am 3. Oktober? – Sie gedenken der Wiedervereinigung.
Wie?	Modalität (Art und Weise)	Wie geht es dir? – Gut.
Wo?	lokal (Ort)	Wo wohnst du? – In München.
Wohin?	lokal (vom Sprecher weg)	Wohin gehst du? – In die Cafeteria.
Woher?	lokal (zum Sprecher hin)	Woher kommst du? – Aus dem Büro.
Wann?	temporal (Zeit)	Wann kommst du? – Um 15.00 Uhr.
Warum?	kausal (Grund)	Warum weinst du? – Weil ich traurig bin.
Wie viel?	Frage nach Menge	Wie viel Käse möchten Sie? – 200 Gramm.
Wie viele?	Frage nach Zahl	Wie viele Brötchen möchten Sie? – Fünf.

2. „Welcher?" / „Welches?" / „Welche?", „Was für . . .?"

2.1 „Welcher?" / „Welches?" / „Welche?" `L: 14`

Mit „welch-" fragt man nach Dingen und Personen. Die Endungen sind wie die vom bestimmten Artikel.
z. B. Welcher Pullover gefällt dir? – Der blaue Pullover ist besonders schön.
Schau, die Hemden dort. Welche gefallen dir?

	M (Maskulinum)	N (Neutrum)	F (Femininum)	Plural (M, N, F)
Nom.	Welcher (Pullover)?	Welches (Modell)?	Welche (Jacke)?	Welche (Jeans)?
Akk.	Welchen (Pullover)?	Welches (Modell)?	Welche (Jacke)?	Welche (Jeans)?
Dat.	Zu welchem (Pullover)?	Zu welchem (Modell)?	Zu welcher (Jacke)?	Zu welchen (Jeans)?

2.2 „Was für . . .?" `L: 18, 19`

Wenn Sie genauer nach etwas Unbestimmtem oder Unbekanntem fragen wollen, können Sie mit „was für" + unbestimmtem Artikel oder + Indefinitpronomen im Singular fragen.
z. B. Wir haben noch ein Zimmer. → Was für ein Zimmer ist das? / Was für eins ist das? → Ein großes (Zimmer) mit Seeblick. / Eins mit Seeblick.

Im Plural bildet man die Frage mit „was für" + Nullartikel oder + „welch-".
z. B. Wir haben noch Doppelzimmer. → Was für Zimmer sind das? / Was für welche sind das? → Große (Zimmer) mit Seeblick. / Welche mit Seeblick.

V. Adjektive

1. Adjektivdeklination

Wann hat ein Adjektiv eine Endung?
– Adjektive als Attribut (d. h. vor einem Nomen) bekommen Endungen.
– Adjektive auf „-a" bekommen keine Endung.
  z. B. eine prima Sache, ein rosa T-Shirt
– Adjektive auf „-er" und „-el" verlieren das „-e-" vor einer Endung.
  z. B. dunkel → der dunkele Wald, teuer → das teuere Auto

1.1 Adjektive nach bestimmtem Artikel L: 11, 16 ▸

Adjektive nach bestimmtem Artikel haben nur zwei verschiedene Endungen: „-e" und „-en".

	M (Maskulinum)	N (Neutrum)	F (Femininum)	Plural (M, N, F)
Nom.	der lebendige Dialekt	das neue Leben	die lange Tradition	die alten Lieder
Akk.	den lebendigen Dialekt	das neue Leben	die lange Tradition	die alten Lieder
Dat.	bei dem lebendigen Dialekt	bei dem neuen Leben	bei der langen Tradition	bei den alten Liedern
Gen.	trotz des lebendigen Dialekts	trotz des neuen Lebens	trotz der langen Tradition	trotz der alten Lieder

1.2 Adjektive nach unbestimmtem Artikel L: 8, 11, 16 ▸

– Im Nominativ und Akkusativ Singular und im Plural nach dem Nullartikel hat das Adjektiv immer die Endung vom bestimmten Artikel.
– Im Dativ und Genitiv Singular und Plural hat das Adjektiv die Endung „-en".
  Ausnahme: im Genitiv Plural nach Nullartikel: Endung „-er" (s. auch Kapitel V, 1.3)

	M (Maskulinum)	N (Neutrum)	F (Femininum)	Plural (M, N, F)	
Nom.	ein / kein / mein lebendiger Dialekt	ein / kein / mein neues Leben	eine / keine / meine lange Tradition	alte Lieder	keine / meine alten Lieder
Akk.	einen / keinen / meinen lebendigen Dialekt	ein / kein / mein neues Leben	eine / keine / meine lange Tradition	alte Lieder	keine / meine alten Lieder
Dat.	bei einem / keinem / meinem lebendigen Dialekt	bei einem / keinem / meinem neuen Leben	bei einer / keiner / meiner langen Tradition	bei alten Liedern	bei keinen / meinen alten Liedern
Gen.	trotz eines / keines / meines lebendigen Dialekts	trotz eines / keines / meines neuen Lebens	trotz einer / keiner / meiner langen Tradition	trotz alter Lieder	trotz keiner / meiner alten Lieder

1.3 Adjektive nach Nullartikel L: 8, 10, 21

Adjektive vor einem Nomen ohne Artikel erhalten die Endungen vom bestimmten Artikel.
Ausnahme: Genitiv Singular Maskulinum und Neutrum: Endung „-en"

	M (Maskulinum)	N (Neutrum)	F (Femininum)	Plural (M, N, F)
Nom.	lebendiger Dialekt	neues Leben	lange Tradition	alte Lieder
Akk.	lebendigen Dialekt	neues Leben	lange Tradition	alte Lieder
Dat.	bei lebendigem Dialekt	bei neuem Leben	bei langer Tradition	bei alten Liedern
Gen.	trotz lebendigen Dialekts	trotz neuen Lebens	trotz langer Tradition	trotz alter Lieder

1.4 Partizip Präsens und Perfekt als Adjektive L: 20, 24

Partizip Präsens als Adjektiv
Das **Partizip Präsens** (= Partizip I) bildet man mit dem Infinitiv vom Verb + „-d".
z. B. passen + „-d" = passend: Die Sommermonate passen für den Einsatz. → Die Sommermonate sind für den Einsatz passend.
anstrengen + „-d" = anstrengend: Die Arbeit bei Familie Egger strengt sehr an. → Die Arbeit bei Familie Egger ist sehr anstrengend.

Wenn das Partizip Präsens als Adjektiv vor einem Nomen steht, erhält es die üblichen Adjektivendungen.
z. B. Es ist eine anstrengende Arbeit.
Familie Egger ist für Bernd ein leuchtendes Vorbild.

Das Partizip Präsens hat meist Aktivbedeutung,
z. B. der operierende Tierarzt → Der Tierarzt operiert.
Ich warte auf den ankommenden Zug. → Der Zug kommt an.

Partizip Perfekt als Adjektiv
Wenn das **Partizip Perfekt** (= Partizip II) als Adjektiv vor einem Nomen steht, erhält es die üblichen Adjektivendungen.
z. B. Sie stellt die gekaufte Vase in die Küche.
Ein aufgeschlagenes Buch liegt auf dem Schreibtisch.

Das Partizip Perfekt als Adjektiv hat oft eine Passiv-Bedeutung.
z. B. der verletzte Mann → Der Mann ist / wurde verletzt.
die genähte Wunde → Die Wunde ist / wurde genäht.

2. Komparation

2.1 Komparation: prädikativ ▸L: 18▸

– Den Komparativ bildet man mit Adjektiv + Endung „-er".
– Den Superlativ bildet man mit „am" + Adjektiv + Endung „-(e)sten".

Grundform	Komparativ	Superlativ
attraktiv	attraktiver	am attraktivsten
schön	schöner	am schönsten
bekannt	bekannter	am bekanntesten
beliebt	beliebter	am beliebtesten
heiß	heißer	am heißesten
groß	größer	am größten
alt	älter	am ältesten
teuer	teurer	am teuersten

Adjektive auf „-t", „-d", „-s", „-ß", „-sch", „-z" bekommen im Superlativ die Endung „-esten".
z. B. bekannt – bekannter – am bekanntesten, wild – wilder – am wildesten, nass – nasser – am nassesten,
    heiß – heißer – am heißesten, hübsch – hübscher – am hübschesten, stolz – stolzer – am stolzesten
Ausnahme: groß – größer – am größten;
              Adjektive, die von einem Partizip Präsens abgeleitet sind,
                z. B. passend – passender – am passendsten

Bei einsilbigen Adjektiven gilt meistens: a → ä, o → ö, u → ü.
z. B. alt – älter – am ältesten, groß – größer – am größten, klug – klüger – am klügsten

Adjektive auf „-er" und „-el" verlieren im Komparativ das „-e-".
z. B. teuer – teurer – am teuersten, dunkel – dunkler – am dunkelsten

Folgende Adjektive und Adverbien haben besondere Formen:

Grundform	Komparativ	Superlativ
hoch	höher	am höchsten
viel	mehr	am meisten
gut	besser	am besten
nah	näher	am nächsten / am nähesten
oft / häufig	öfter / häufiger	am häufigsten
gern	lieber	am liebsten

2.2 Vergleichssätze `L: 18, 29`

etwas / jemand ist gleich / nicht gleich
- „so" / „genauso" + Adjektiv Grundform + „wie"
- „nicht so" + Adjektiv Grundform + „wie"
  z.B. In der Hauptsaison ist es so teuer wie sonst.
        Die Deutschen verbringen ihren Urlaub genauso gern in Deutschland wie im Ausland.
        Die Preise für einen Urlaub in Deutschland sind nicht so hoch wie für eine Fernreise.

etwas / jemand ist mehr
- Komparativ + „als"
  z.B. In der Hauptsaison ist es teurer als sonst.
        Die Deutschen verbringen ihren Urlaub lieber im eigenen Land als im Ausland.
        Die Preise für eine Fernreise sind höher als für einen Urlaub in Deutschland.

„Je ... desto / umso"
- Mit Sätzen mit „je ... desto / umso" drückt man ein Verhältnis aus.
- „Je" + Komparativ steht auf Position 1 des 1. Satzes (= Nebensatz).
  „desto / umso" + Komparativ steht auf Position 1 des 2. Satzes (= Hauptsatz), auf Position 2 steht das Verb.

1. Satz = Nebensatz			2. Satz = Hauptsatz		
Position 1		Satzende	Position 1	Position 2	
Je kleiner	ein Wahlkreis	ist,	desto wichtiger	ist	die einzelne Stimme.
Je mehr Stimmen	eine Partei	erhält,	umso mehr Sitze	bekommt	sie.

2.3 Komparation: attributiv `L: 19`

- Den Komparativ bildet man mit Adjektiv + Endung „-er-" + Adjektivendung.
- Den Superlativ bildet man mit Adjektiv + Endung „-(e)st-" + Adjektivendung.
- Adjektive im Komparativ und Superlativ haben die gleichen Endungen wie in der Grundform.

Grundform	Komparativ	Superlativ
der hohe Berg	der höhere Berg	der höchste Berg
das kleine Land	das kleinere Land	das kleinste Land
die kurze Grenze	die kürzere Grenze	die kürzeste Grenze
die hohen Berge	die höheren Berge	die höchsten Berge
ein / kein / sein hoher Berg	ein / kein / sein höherer Berg	kein / sein höchster Berg
ein / kein / sein kleines Land	ein / kein / sein kleineres Land	kein / sein kleinstes Land
eine / keine / seine kurze Grenze	eine / keine / seine kürzere Grenze	keine / seine kürzeste Grenze
hohe Berge	höhere Berge	höchste Berge
keine / seine hohen Berge	keine / seine höheren Berge	keine / seine höchsten Berge

VI. Adverbien und Präpositionen

1. Temporalangaben

1.1 Einen Zeitpunkt benennen   L: 2, 4, 9, 14, 27, 30 (Trainer)

– Auf eine Frage mit „**Wann?**" antwortet man mit der Angabe von einem Zeitpunkt oder einer Wiederholung.
– Folgende Jahreszahlen, Adverbien und Präpositionalphrasen geben einen Zeitpunkt an:

Jahreszahlen
z. B. Er war 2009 in Mexiko. (Man spricht: zweitausendneun)
1492 hat Kolumbus Amerika entdeckt. (Man spricht: vierzehnhundertzweiundneunzig)

Adverbien
„vorgestern", „gestern", „heute", „morgen", „übermorgen" geben den Tag in Relation zum aktuellen Tag („heute") an.
z. B. Heute gehe ich ins Schwimmbad.
Wir waren gestern in der Stadt.

Tageszeit + „s", Wochentag + „s" (z. B. „morgens", „mittags", „mittwochs"); diese Adverbien drücken oft eine Handlung aus, die sich wiederholt.
z. B. Freitags spielen wir Tennis. = Jeden Freitag spielen wir Tennis.
Ich gehe morgens ins Fitnessstudio. = Ich gehe jeden Morgen ins Fitnessstudio.

Präpositionalphrasen
am + Wochentag, Tageszeit
z. B. Am Montag fliegt Peter nach Spanien.
Sie kommt am Abend.

am + Datum
z. B. Sie hat am 5. Oktober einen Termin.

im + Monat, Jahreszeit
z. B. Im Februar feiert man Karneval.
Im Sommer fahren viele Leute in Urlaub.

um + Uhrzeit
z. B. Um 5.00 Uhr stehe ich auf.
Ich komme um 12.30 Uhr an.

gegen + Uhrzeit, Tageszeit = ungefähr um
z. B. Gegen 5.00 Uhr stehe ich auf.
Ich komme gegen Mittag an.

nach + Jahreszahl, Monat, Tag, Uhrzeit = später als dieser Zeitpunkt
z. B. Nach 2008 konnte man das Auto nicht mehr kaufen.
Nach März 2019 wird das Gesetz geändert.
Nach Montag habe ich mehr Zeit.
Nach 18.00 Uhr können wir uns treffen.

nach dem + Datum
z. B. Nach dem 2. Dezember treffen wir uns jede Woche.

nach + Dativ
z. B. Nach drei Tagen reise ich ab.
Nach dem Essen sind wir ins Kino gegangen.

vor + Jahreszahl, Monat, Tag, Uhrzeit = früher als dieser Zeitpunkt
z. B. Vor 2008 konnte man dieses Modell noch kaufen.
Vor März 2019 wird das Gesetz nicht geändert.
Vor Montag habe ich keine Zeit.
Vor 18.00 Uhr können wir uns nicht treffen.

vor dem + Datum
z. B. Vor dem 9. März muss ich noch viel tun.

vor + Dativ
z. B. Vor dem Kinobesuch gehen wir essen.
Vor drei Tagen habe ich das Auto gekauft.

während + Genitiv (umgangssprachlich auch + Dativ) = Zeitspanne, in der etwas passiert
z. B. Während des Essens hat niemand angerufen.
Während dem Essen höre ich Radio.

bei + Dativ = Zeitspanne, in der etwas passiert
z. B. Beim Essen höre ich Radio.

innerhalb + Genitiv / **innerhalb von** + Dativ = Zeitspanne, in der etwas passiert
z. B. Innerhalb der letzten Jahrzehnte ging die Zahl der Bewohner zurück.
Innerhalb von wenigen Tagen hat er das Problem gelöst.

in + Dativ
z. B. In zwei Tagen fliege ich nach Wien. (= übermorgen)

zu + Feiertage, Festtage
z. B. Zu Silvester treffe ich mich mit Freunden.
Zum Geburtstag habe ich viele Geschenke bekommen.

Uhrzeit

Auf die Frage **„Wie spät ist es?"** / **„Wie viel Uhr ist es?"** antwortet man mit der Angabe einer Uhrzeit.

Offiziell (auf Fahrplänen, Terminkalendern, im Fernsehen etc.) verwendet man das 24-Stunden-Modell.
z. B. 16.00 Uhr   –   Es ist sechzehn Uhr.
      16.30 Uhr   –   Es ist sechzehn Uhr dreißig.

Inoffiziell (beim Sprechen) verwendet man das 12-Stunden-Modell, z. B.

 Es ist zehn Uhr.   Es ist halb elf.

 Es ist zehn nach zehn.   Es ist zwanzig vor elf.

 Es ist Viertel nach zehn.   Es ist Viertel vor elf.

Auf die Fragen „Wann?" / „Um wie viel Uhr?" antwortet man mit der Präposition „um" + Uhrzeit.
Beim Sprechen verwendet man das 12-Stunden-Modell, im offiziellen Kontext das 24-Stunden-Modell, z. B.

12-Stunden-Modell	24-Stunden-Modell
Wir treffen uns um Viertel nach acht. (am Morgen)	Wir treffen uns um 8.15 Uhr.
Ich hole dich um halb neun ab. (am Abend)	Ich hole dich um 20.30 Uhr ab.

Datum

Für das Datum verwendet man Ordinalzahlen. Man markiert Ordinalzahlen mit einem Punkt nach der Zahl,
z. B. 1., 2., …

Die Ordinalzahlen bildet man so:
– Die Ordinalzahlen 1. bis 19. bildet man mit „-te".
  z. B. der **erste**, der zweite, der d**ritte**, der vierte, der fünfte, der sechste, der **sieb**te, der achte, …
– Ab 20. bildet man die Ordinalzahlen mit „-ste".
  z. B. der zwanzigste, der fünfundzwanzigste, der hundertste, …

Für das Datum verwendet man die Präposition „am" mit den Ordinalzahlen.
– 1. bis 19. bekommt die Endung „-ten".
  z. B. am ersten, am zweiten, am dritten, am vierten, …
– Ab 20. verwendet man die Endung „-sten".
  z. B. am zwanzigsten, am einunddreißigsten, …
– Schreibweise: Am **e**rsten Januar. = Am **e**rsten **E**rsten.

1.2 Eine Zeitspanne benennen L: 2, 4, 5, 13 (Trainer), 14

Auf die Fragen „**Wie lange?**" und „**Von wann an?**" kann man mit verschiedenen Präpositionalphrasen antworten.

von … bis = Anfang und Ende einer Zeitspanne
z. B. Der Deutschkurs geht von Januar bis März.
Ich kann nur von der ersten bis zur zehnten Woche bleiben.

vom … bis (zum) + Datum = Anfang und Ende einer Zeitspanne
z. B. Vom 20. bis (zum) 31. August machen wir Urlaub.

seit + Jahr, Monat, Tag, Uhrzeit, Zeitraum = Anfang einer Zeitspanne in der Vergangenheit bis jetzt.
Im Satz steht Präsens.
z. B. Seit September 1991 lebe ich hier.
Silke ist seit Freitag krank.
Seit 15.00 Uhr sind sie hier.
Seit drei Wochen lernt Manuel Deutsch.

seit dem + Datum = Anfang einer Zeitspanne in der Vergangenheit bis jetzt. Das Verb steht im Präsens.
z. B. Seit dem 20. Dezember 2011 hat er ein Auto.

ab + Jahr, Monat, Tag, Uhrzeit, Zeitpunkt = Anfang einer Zeitspanne. Der Anfang liegt meistens in der Zukunft,
kann aber auch in der Vergangenheit liegen.
z. B. Ab Januar 2003 lebten wir in Hamburg, vor einem Jahr sind wir nach Berlin gezogen.
Ab Montag ist unser Restaurant täglich geöffnet.
Ab 10.00 Uhr können Sie mich erreichen.
Ab sofort lernt Manuel Deutsch.

ab dem + Datum = Anfang einer Zeitspanne. Der Anfang liegt meistens in der Zukunft, kann aber auch in der
Vergangenheit liegen.
z. B. Ab dem 1. Januar 2003 lebten wir in Hamburg, vor einem Jahr sind wir nach Berlin gezogen.
Heute ist der 13. August. Ab dem 20. August gibt es das neue Produkt.

bis + Jahr, Monat, Tag, Uhrzeit, Zeitpunkt = Ende einer Zeitspanne
z. B. Das Projekt geht bis 2015.
Bis August ist er in den USA.
Die Arbeit muss bis Montag fertig sein.
Bis 13.00 Uhr ist er in einem Meeting.

bis zum + Datum = Ende einer Zeitspanne
z. B. Wir sind bis zum 31. August im Urlaub.

zwischen … und … + Jahr, Monat, Tageszeit, Uhrzeit, Zeitpunkt = Beginn und Ende einer Zeitspanne,
in der etwas passiert
z. B. Zwischen 2001 und 2011 haben sich die Preise verdoppelt.
Zwischen Mai und Juni bekommen Sie das Ergebnis.
Markus hat zwischen Mittag und Abend fünfmal angerufen.
Zwischen 22.00 Uhr und 6.00 Uhr darf man hier nicht parken.
Zwischen unserer Ankunft in Frankfurt und unserem Weiterflug nach London liegen zwei Stunden.

zwischen dem … und (dem) … + Datum = Beginn und Ende einer Zeitspanne, in der etwas passiert
z. B. Wir melden uns zwischen dem 10. und (dem) 15. März.

über + Zeitraum = länger / mehr als
z. B. Das Oktoberfest ist über 200 Jahre alt.
Das Projekt hat über sechs Monate gedauert.
Wir waren über zehn Tage in Italien.

2. Lokale Angaben

2.1 Einen Ort angeben L: 1, 3, 7, 27, 30

– Auf eine Frage mit „**Wo?**" antwortet man mit einer Ortsangabe.
– Folgende Adverbien und Präpositionalphrasen geben einen Ort an:

Adverbien

hier		dort	
nebenan		gegenüber	
links	←	rechts	→
oben		unten	

„**hier**", „**dort**" geben einen Ort in Relation zum Sprecher an.
z. B. Komm zu mir. Wir grillen hier.
Wir gehen in das Stadtmuseum. Dort ist eine interessante Ausstellung.

„**nebenan**", „**gegenüber**", „**links**" und „**rechts**", „**oben**" und „**unten**" geben einen Ort in Relation zu einem anderen Ort an.
z. B. Wir wohnen in der Brückenstraße 3. Familie Meyer wohnt nebenan und Frau Schmidt wohnt gegenüber.
Hier ist die Kirche. Die Post liegt links und das Rathaus liegt rechts.
Das Dach ist oben, der Keller ist unten.

„**nebenan**", „**gegenüber**", „**links**" und „**rechts**" kann man auch mit „**von**" + Dativ verwenden.
z. B. Wir wohnen in der Brückenstraße 3. Familie Meyer wohnt nebenan von uns und Frau Schmidt wohnt gegenüber von unserem Haus.
Die Post ist links von der Kirche und das Rathaus ist rechts von der Kirche.

Präpositionalphrasen
in + Land, Stadt (ohne Artikel)
z. B. Ich wohne in Frankreich.
Ich wohne in Hamburg.
Ausnahme: Länder mit Artikel: **in** + Artikel im Dativ + Land
z. B. Ich wohne in der Schweiz / in den Niederlanden / im Iran.

bei + Person, Firma im Dativ
z. B. Leon ist bei einem Freund.
Sylvie ist Au-pair-Mädchen bei Familie May.
Ich arbeite bei der Firma Fischer & Co.

bei + Dativ = in der Nähe von; oft mit Verben wie „wohnen", „liegen", „sich befinden" etc.
z. B. Ich wohne beim Bahnhof. = Ich wohne in der Nähe vom Bahnhof.
Sankt Augustin liegt bei Bonn.
Unser Büro befindet sich bei der Post.

innerhalb + Genitiv / **innerhalb von** + Dativ
z. B. Innerhalb des Stadtgebiets darf man nur 50 km/h fahren.
Innerhalb von meiner Familie sprechen alle Dialekt.

außerhalb + Genitiv / **außerhalb von** + Dativ
z. B. Außerhalb Europas gibt es deutschsprachige Minderheiten.
Außerhalb von Deutschland kennt man diesen Brauch fast nicht.

2.2 Eine Richtung angeben `L: 1, 7, 15`

– Auf eine Frage mit **„Wohin?"** antwortet man mit einer Richtungsangabe.
– Folgende Präpositionalphrasen geben eine Richtung an:

nach + Land, Stadt
z. B. Ich fliege nach Mexiko.
        Ich fahre nach Köln.
        Ausnahme: Länder mit Artikel: **in** + Artikel im Akkusativ + Land
        z. B. Ich fahre in die Türkei / in die USA / in den Irak.

zu + Person, Ort im Dativ
z. B. Ich gehe zu Barbara.
        Ich gehe zum Supermarkt.
        Ich gehe zu einer Party.

um + Akkusativ **(+ herum)**
z. B. Gehen Sie um die Ecke (herum).
        Er läuft um den See (herum).

durch + Akkusativ
z. B. Sie fährt durch das Tor.
        Wir wandern durch den Wald.

entlang (nachgestellt) + Akkusativ
z. B. Jörg soll die Kärntner Straße entlang gehen.
        Sie laufen den Fluss entlang.

Auf die Frage **„Entschuldigung, wie komme ich zu …?"** kann man mit diesen Adverbien antworten:

↑	geradeaus	⊥⇒	über die Kreuzung
←	(nach) links	→	(nach) rechts
X → X	von … (bis) zu / zum / zur …		

– Auf eine Frage mit **„Woher?"** gibt man an, von / aus welchem Ort man kommt.
– Folgende Präpositionalphrasen geben einen Ort an, von / aus dem man kommt:

aus + Land, Stadt
z. B. Er kommt aus Deutschland.
        Er kommt aus München.
        Ausnahme: Länder mit Artikel: **aus** + Artikel im Dativ + Land
        z. B. Ich komme aus der Schweiz / aus den USA / aus dem Iran.

aus + Ort
z. B. Er kommt aus dem Bahnhof.
        Er kommt aus der Post.

von + Person, Ort
z. B. Er kommt von Barbara.
        Er kommt vom Arzt.
        Er kommt vom Bahnhof.
        Er kommt von der Post.

2.3 Wechselpräpositionen L: 10

Auf die Frage **„Wohin?"** antworten die Wechselpräpositionen mit Akkusativ. In dieser Verwendung drücken sie eine Ortsveränderung, Bewegung oder Richtung aus.

z.B. Wohin gehst du? – Ich gehe ins Kino.
                          – Ich gehe vor das Haus.

Auf die Frage **„Wo?"** antworten die Wechselpräpositionen mit Dativ. In dieser Verwendung drücken sie aus, dass jemand / etwas sich an einem Ort befindet oder dort bleibt.

z.B. Wo bist du?   – Ich bin im Haus.
                          – Ich bin hinter der Garage.

Folgende Präpositionen sind Wechselpräpositionen:

auf	unter	über
an	neben	zwischen
in	hinter	vor

Besonderheiten mit Wechselpräpositionen

Auf die Frage **„Wohin?"** verwendet man oft „stellen, setzen, legen, hängen" + Wechselpräposition mit Akkusativ. Diese Verben sind regelmäßig.

z.B. Ich stelle die Vase auf den Tisch.   Ich stellte die Vase auf den Tisch.
      Ich setze mich auf den Stuhl.   Ich setzte mich auf den Stuhl.
      Ich lege die Decke auf das Bett.   Ich legte die Decke auf das Bett
      Ich hänge das Bild an die Wand.   Ich hängte das Bild an die Wand.

Auf die Frage **„Wo?"** verwendet man oft „stehen, sitzen, liegen, hängen" + Wechselpräposition mit Dativ. Diese Verben sind unregelmäßig.

z.B. Die Vase steht auf dem Tisch.   Die Vase stand auf dem Tisch.
      Ich sitze auf dem Stuhl.   Ich saß auf dem Stuhl.
      Die Decke liegt auf dem Bett.   Die Decke lag auf dem Bett.
      Das Bild hängt an der Wand.   Das Bild hing an der Wand.

Die Wechselpräposition „auf" verwendet man oft auch im amtlichen Kontext.

z.B. Ich bin auf der Schule. (= Ich bin Schüler.)
      Ich gehe auf die Universität. (= Ich bin Student.)
      Ich gehe auf die Post. (= Ich gehe zur Post.)
      Ich bin auf dem Rathaus. (= Ich bin im Rathaus.)

2.4 Zusammensetzung der Präposition mit dem bestimmten Artikel `L: 10` ▶

Einige Präpositionen bilden zusammengesetzte Formen, wenn man sie mit dem bestimmten Artikel verwendet.
an + das = ans
an + dem = am
auf + das = aufs
bei + dem = beim
in + das = ins
in + dem = im
von + dem = vom
zu + dem = zum
zu + der = zur

Umgangssprachlich gibt es auch:
hinters, übers, unters, vors, auf'm, hinterm, überm, unterm, vorm.

Die zusammengesetzten Formen sind unbetont. Im Regelfall verwendet man sie. Die nicht zusammengesetzten Formen benutzt man nur, wenn man einen Ort besonders beschreiben möchte.
z. B. Ich gehe zur Post.
      Ich gehe zu der Post auf dem Marktplatz.
      Ich war beim Arzt.
      Ich war bei dem Arzt, den du mir empfohlen hast.

2.5 „hin-" und „her-" `L: 15` ▶

„hin-" bedeutet: weg vom Sprecher zu einem Ort.
→ hinaus, hinein, hinauf, hinunter, hinüber
z. B. Jörg geht hinaus. (= Der Sprecher ist im Haus.)
      Ruth geht die Treppe hinauf. (= Der Sprecher ist unten.)

„her-" bedeutet: von einem Ort zum Sprecher.
→ heraus, herein, herauf, herunter, herüber
z. B. Komm heraus! (= Der Sprecher ist vor dem Haus.)
      Komm herein! (= Der Sprecher ist im Haus.)

Zu „hinein", „herein" etc. gibt es folgende Kurzformen:
hinein / herein = rein
hinaus / heraus = raus
hinauf / herauf = rauf
hinunter / herunter = runter
hinüber / herüber = rüber

Die Kurzformen verwendet man vor allem im mündlichen Sprachgebrauch.
z. B. Komm raus!
      Ich geh schnell runter.

„hinein" / „herein" / „rein" können mit der Präposition „in" + Akkusativ stehen.
„hinaus" / „heraus" / „raus" können mit der Präposition „aus" + Dativ stehen.
z. B. Jörg geht in das Museum hinein / rein.
      Jörg kommt aus dem Museum heraus / raus.

3. Kausale und andere Präpositionen

3.1 Kausale Präpositionen `L: 23, 30 (Trainer)`

Kausale Präpositionen geben einen Grund an.

wegen + Genitiv (umgangssprachlich auch + Dativ)
z. B. Wegen seines Interesses für Wirtschaft möchte Franco Betriebswirtschaft studieren.
Wegen seinem Interesse für Wirtschaft möchte Franco Betriebswirtschaft studieren.

aufgrund + Genitiv
z. B. Aufgrund des schlechten Wetters kann diese Reise nicht stattfinden.
Anmerkung: „aufgrund dessen" = deshalb
z. B. Sie waren sehr motiviert. Aufgrund dessen machten sie schnell Fortschritte.

3.2 Andere Präpositionen `L: 7, 8, 23, 29, 30 (Trainer)`

für + Akkusativ
z. B. Ich habe das Buch für deine Schwester mitgebracht.

von + Dativ
z. B. Ich habe das Buch von meiner Schwester bekommen.

mit + Dativ ≠ **ohne** + Akkusativ
z. B. Er trinkt den Kaffee immer mit Milch.
Ich mag keine Milch. Ich trinke den Kaffee ohne Milch.

trotz + Genitiv (umgangssprachlich auch + Dativ) drückt einen Gegengrund aus. Der Grund wirkt aber nicht:
Man tut es trotzdem oder es passiert trotzdem.
z. B. Trotz seiner schlechten Noten in Mathematik will Franco Betriebswirtschaft studieren.
Trotz seinen schlechten Noten in Mathe will Franco Betriebswirtschaft studieren.

statt + Genitiv (umgangssprachlich auch + Dativ) drückt eine Alternative aus.
z. B. Statt der Grünen wählt Lisa das nächste Mal eine andere Partei.
Statt den Grünen wählt Lisa das nächste Mal eine andere Partei.

statt + Präposition
z. B. Statt im Mai war die Wahl im Juni.
Statt für die SPD hat sie für die Grünen gestimmt.

4. Modale Adverbien   L: 2, 4, 5, 10, 28

Modale Adverbien drücken aus, wie (Art und Weise) etwas / jemand ist.

sehr + Adjektiv verstärkt die Bedeutung.
z. B.   Der Film war sehr langweilig.
      Ihr neues Kleid ist sehr schön.

so + Adjektiv verstärkt die Bedeutung.
z. B.   So viel Geld verdient er! Das glaube ich nicht.
      Der Tisch ist nicht so teuer. Den kaufe ich mir.

so + Verb hat die Bedeutung von „auf diese Weise".
z. B.   So sieht das gut aus.
      So geht das nicht.

besonders + Adjektiv verstärkt die Bedeutung im Sinne von „außergewöhnlich".
z. B.   Diese Suppe schmeckt besonders gut.
      Er ist heute besonders schlecht gelaunt.

ganz + Adjektiv kann eine positive Bedeutung einschränken. „ganz" wird beim Sprechen nicht betont.
z. B.   Wie war der Film? – Ganz gut, aber ich habe schon bessere gesehen.

ganz + Adjektiv kann eine positive oder negative Bedeutung verstärken. „ganz" wird beim Sprechen betont.
z. B.   Wie war der Film? – Ganz toll, du musst ihn dir auf jeden Fall ansehen.
      Wie war der Film? – Ganz schrecklich!

zu + Adjektiv: Die Bedeutung bezeichnet etwas Unerwartetes, Übertriebenes, sehr oft auch Negatives.
z. B.   Das Bild ist zu abstrakt. (Adjektiv wird beim Sprechen betont.)
      Der Kaffee ist zu heiß. (Adjektiv wird beim Sprechen betont.)
      Das war zu schön! („zu" wird beim Sprechen betont.)

gar + Negation verstärkt die Negation.
z. B.   Das ist gar nicht lustig.
      Er hat heute gar keine Zeit.

gern + Verb drückt Vorlieben aus.
z. B.   Klaus spielt gern Tennis. (= Tennis ist sein Hobby.)
      Anna isst gern Pizza. (= Anna mag Pizza.)

Folgende Adverbien drücken aus, wie sicher man ist:
ca. 50 %: **vielleicht / eventuell / möglicherweise**
ca. 75 %: **vermutlich / wahrscheinlich**
ca. 95 %: **sicher / bestimmt**
z. B.   Weißt du, wo Klaus ist?
      Klaus steht vielleicht im Stau.
      Klaus steht vermutlich im Stau. Auf der Autobahn ist eine Baustelle.
      Klaus steht bestimmt im Stau. Am Freitagabend ist immer sehr viel Verkehr.

5. Modalpartikeln `L: 5, 6, 15, 16, 23`

In Fragen
„denn" und „eigentlich" betonen das Interesse.
z.B. Gehst du denn schon?
      Wo wohnst du denn?
      Hast du eigentlich deinen Ausweis dabei?

In Aussagesätzen
– „ja" signalisiert, dass dem Leser / Zuhörer etwas bekannt ist.
   z.B. Man erzählt von seinen Hobbys, denn man will ja Leute mit ähnlichen Vorlieben treffen.
      Die Straßen in Wien sind kompliziert, aber mit dem Navi ist das ja kein Problem.
– „übrigens" verwendet man, wenn man etwas, das mit dem Hauptthema nichts oder nicht viel zu tun hat, kurz erzählen will.
   z.B. Mit dem Navi war die Reise nach Wien kein Problem. Ein Navi ist übrigens nicht teuer.

In Ausrufen
„ja" betont einen Ausruf.
– Der Ausruf kann positiv sein.
   z.B. Das ist ja toll!
– Der Ausruf kann negativ sein.
   z.B. Das ist ja schrecklich!

In Vorschlägen
Bei Vorschlägen verwendet man häufig „doch", „mal", „doch mal".
„doch" betont den Vorschlag, „mal" macht ihn freundlich.
z.B. Gehen Sie doch ins Kino!
      Gehen wir mal ins Theater!
      Besuch mich doch mal!

In irrealen Wunschsätzen
„bloß", „doch" und „nur" verstärken den irrealen Wunsch. Man kann „doch" mit „bloß" oder „nur" kombinieren.
z.B. Wenn ich bloß nicht so lange arbeiten müsste!
      Wenn ich nur mehr Reisen machen könnte!
      Wenn ich doch nach Hause gehen dürfte!
      Wenn ich doch bloß mehr Zeit hätte!

In Vermutungen
– Die Modalpartikel „wohl" drückt eine Vermutung aus. Sie hat die gleiche Bedeutung wie die Modaladverbien „wahrscheinlich" / „vermutlich". Häufig wird sie auch mit Futur I kombiniert.
   z.B. Er kommt wohl um 20.00 Uhr.
      Ich werde Portugal wohl vermissen.
– Die Modalpartikel „schon" drückt Zuversicht aus. Häufig wird sie auch mit Futur I kombiniert.
   z.B. Keine Sorge! Es passiert schon nichts.
      Es wird schon klappen.

Stellung der Modalpartikeln
Modalpartikeln stehen nicht am Satzanfang. Sie stehen meist direkt nach dem Verb oder nach dem Subjekt, einer Ergänzung bzw. nach Pronomen.
z.B. Das hat doch dein Vater gesagt.
      Das hat dein Vater doch gesagt.
      Das hat dein Vater deiner Mutter doch gesagt.
      Das hat er ihr doch gesagt.
Ausnahme: „übrigens" kann am Satzanfang stehen.
z.B. Mit dem Navi war die Reise nach Wien kein Problem. Übrigens ist ein Navi nicht teuer.

VII. Satzkombinationen und Angaben im Satz

1. Hauptsatz – Hauptsatz

aduso-Konnektoren `L: 3, 4, 10`

Im Deutschen gibt es fünf Konnektoren auf Position 0. Sie verbinden zwei gleichwertige Sätze und stehen zwischen den Sätzen:
- „aber" drückt einen Gegensatz aus.
- „denn" gibt einen Grund an.
- „und" verbindet zwei Sätze oder Satzteile.
- „sondern" gibt eine Alternative zu einem negierten Satzteil aus Satz 1 an.
- „oder" gibt eine Alternative an.

So können Sie die Konnektoren auf Position 0 besser lernen:
aber, denn, und, sondern, oder → „aduso"-Konnektoren

1. Satz / 1. Satzteil	Position 0	2. Satz / 2. Satzteil
Jürgen hat viele Hobbys,	aber	(er) treibt keinen Sport.
Jürgen geht in den Sportverein,	denn	er möchte fit sein.
Jürgen liest gern	und	(er) geht gern ins Theater.
Jürgen trainiert heute nicht,	sondern	(er) bleibt zu Hause.
Jürgen möchte joggen	oder	(er möchte) schwimmen.

Vor „aber", „denn" und „sondern" steht immer ein Komma.

Man kann Sätze mit „aber", „und", „sondern", „oder" verkürzen, wenn das Subjekt im 1. Satz und das Subjekt bzw. das Subjekt und das Verb im 2. Satz gleich sind.

aber
z.B. Clara liest nicht gern, aber (sie) sieht gern fern.
     Jürgen mag Individualsport, aber (Jürgen mag) keinen Mannschaftssport.

und
z.B. Jürgen liest gerne Bücher und (Jürgen) geht gerne ins Theater.
     Paul spielt gerne Fußball und (er spielt) gerne Handball.

sondern
z.B. Jürgen joggt heute nicht, sondern (er) geht schwimmen.
     Paul spielt nicht Handball, sondern (er spielt) Fußball.

oder
z.B. Am Wochenende sehen wir einen Film oder (wir) gehen ins Museum.
     Muss ich monatlich oder (muss ich) jährlich bezahlen?

Sätze mit **„denn"** kann man **nicht** verkürzen.
z.B. Jürgen trainiert regelmäßig, denn er möchte am Halbmarathon teilnehmen.
     Markus tanzt nicht gern Salsa, denn er tanzt nicht gut.

2. Hauptsatz – Nebensatz `L: 11, 12`

- Der Nebensatz beginnt mit einem Nebensatz-Konnektor (= Subjunktion) und endet mit dem Verb.
- Zwischen Haupt- und Nebensatz steht ein Komma.
- Der Nebensatz kann vor oder nach dem Hauptsatz stehen.

Hauptsatz	Nebensatz		
Bernhard möchte in Köln studieren,	weil	er dort keine Sprachprobleme	hat.
Ingrid besucht Bernhard,	wenn	sie Zeit	hat.
Bernhard hat sich erkältet,	als	er nach Köln gefahren	ist.

Wenn der Nebensatz vor dem Hauptsatz steht, steht das Verb im Hauptsatz auf Position 1.

Nebensatz	Hauptsatz	
Weil Bernhard in Köln keine Sprachprobleme hat,	möchte	er dort studieren.
Wenn Ingrid Zeit hat,	besucht	sie Bernhard.
Als Bernhard nach Köln gefahren ist,	hat	er sich erkältet.

3. Satzkombinationen und Angaben

3.1 Kausalsätze `L: 11, 13, 23, 30`

Kausalsätze nennen einen Grund. Sie antworten auf die Frage „**Warum …?**".

Nebensätze mit „weil"
Nebensätze mit „weil" können vor oder nach dem Hauptsatz stehen.
z. B. Bernhard möchte in Köln studieren, weil er dort keine Sprachprobleme hat.
  Weil er in Köln keine Sprachprobleme hat, möchte Bernhard dort studieren.

Auf die Frage „Warum …?" kann man in einem Gespräch auch direkt mit einem „weil"-Satz antworten.
z. B. Warum studierst du Englisch?   – Weil ich England mag.
  Warum kommst du heute nicht? – Weil ich keine Zeit habe.

In der mündlichen Umgangssprache verbindet man manchmal auch zwei Hauptsätze mit „weil".
z. B. Bernhard möchte in Köln studieren, weil … (Pause) er hat dort keine Sprachprobleme.

Nebensätze mit „da"
„da" verwendet man oft, wenn der Grund schon bekannt ist.
Nebensätze mit „da" stehen meist vor dem Hauptsatz.
z. B. Bernd ist erkältet. → Da Bernd krank ist, kommt er nicht mit.
  Ich habe am Montag eine Prüfung. → Da ich lernen muss, kann ich euch am Sonntag nicht besuchen.

Hauptsätze mit „darum"/„deshalb"/„deswegen"/„daher"
Sätze mit „darum"/„deshalb"/„deswegen"/„daher" beziehen sich auf einen vorhergehenden Satz, in dem der Grund für die Aussage in diesen Sätzen steht. Diese Verbindungsadverbien können auf Position 1 oder im Mittelfeld stehen.
z. B. Weil das Röntgen-Museum sehr interessant ist, möchte ich mit meiner Freundin noch einmal hingehen.
  → Das Röntgen-Museum ist sehr interessant, darum / deshalb / deswegen / daher möchte ich mit meiner Freundin noch einmal hingehen.
  → Das Röntgen-Museum ist sehr interessant, ich möchte darum / deshalb / deswegen / daher mit meiner Freundin noch einmal hingehen.
  → Das Röntgen-Museum ist sehr interessant, ich möchte mit meiner Freundin darum / deshalb / deswegen / daher noch einmal hingehen.

Hauptsätze mit „aufgrund dessen"

„aufgrund dessen" hat die Bedeutung von „darum"/„deshalb"/„deswegen"/„daher". Dieses Verbindungsadverb wird hauptsächlich in der Standardsprache und im schriftlichen Gebrauch verwendet. Es kann auf Position 1 oder im Mittelfeld stehen.

z. B. Die Dialekte in Nord- und Süddeutschland sind sehr unterschiedlich, aufgrund dessen/deswegen verstehen sich die Sprecher manchmal nicht.

Die Dialekte in Nord- und Süddeutschland sind sehr unterschiedlich, die Sprecher verstehen sich aufgrund dessen/deswegen manchmal nicht.

Hauptsätze mit „nämlich"

Das Verbindungsadverb „nämlich" nennt den Grund für den vorhergehenden Satz. Es steht nie auf Position 1, sondern immer im Mittelfeld, meist nach dem Verb.

z. B. Daniel möchte ein Praktikum bei einer deutschen Firma machen, er möchte nämlich Übersetzer werden.

Franco möchte Betriebswirtschaft studieren, er interessiert sich nämlich für Wirtschaft.

Kausale Angaben

Informationen zu Kausalsätzen mit den Präpositionen „wegen" bzw. „aufgrund" finden Sie im Kapitel VI, 3.1.

3.2 Temporalsätze L: 12, 13, 18, 27, 30 (Trainer)

Temporalsätze beschreiben einen Zeitpunkt, eine Wiederholung oder eine Dauer. Sie antworten auf die Fragen **„Wann ...?"**, **„Seit wann ...?"** und **„Bis wann ...?"**.

Einen Zeitpunkt oder eine Wiederholung benennen

Nebensätze mit „als" benennen ein Ereignis, das einmal in der Vergangenheit passiert ist (dieses Ereignis kann auch etwas andauern). Sie können vor oder nach dem Hauptsatz stehen.

z. B. Als wir ankamen, war das Wetter nicht sehr gut.

Eine Musikgruppe hat gespielt, als wir das Städtchen besichtigt haben.

„wenn" steht für ein Ereignis, das mehrmals in der Vergangenheit passiert ist. Der Nebensatz mit „wenn" kann vor und nach dem Hauptsatz stehen. Steht der „wenn"-Satz hinten, stehen die Angaben „immer" oder „jedes Mal" im Hauptsatz.

z. B. (Immer) Wenn Jan aus dem Wasser kam, musste er sich in der Sonne aufwärmen.

(Jedes Mal) Wenn Jan das Zelt zusammenfalten wollte, hat sich es wieder geöffnet.

Jan musste sich immer in der Sonne aufwärmen, wenn er aus dem Wasser kam.

Das Zelt hat sich jedes Mal wieder geöffnet, wenn Jan es zusammenfalten wollte.

„wenn" steht für ein Ereignis, das einmal oder mehrmals in der Gegenwart oder Zukunft passiert. Der Nebensatz mit „wenn" kann vor und nach dem Hauptsatz stehen. Steht der „wenn"-Satz vorne, kann der Hauptsatz mit „dann" beginnen.

z. B. Ich erhole mich (immer) am besten, wenn ich faulenze.

Wenn das Wetter morgen schön ist, (dann) machen wir einen Ausflug.

Wenn ein Ereignis einmal oder mehrmals in der Gegenwart oder Zukunft passiert, kann der „wenn"-Satz durch „bei" + Dativ ersetzt werden.

z. B. Wenn ich morgen einkaufe, darf ich Kaffee nicht vergessen.

→ Beim morgigen Einkauf darf ich Kaffee nicht vergessen.

(Immer) Wenn ich mit dem Auto fahre, höre ich Radio.

→ Beim Autofahren höre ich immer Radio.

Eine Dauer beschreiben

Nebensätze mit „seit" bzw. „seitdem" beschreiben eine Dauer von einem Zeitpunkt bis jetzt: • ⟶
Sie können vor oder nach dem Hauptsatz stehen.
z.B. Beate hat dauernd Schmerzen, seit / seitdem sie so viel arbeitet.
    Es sind drei Monate vergangen, seit / seitdem Beate Larissa getroffen hat.
    Seit / Seitdem Beate so viel arbeitet, hat sie dauernd Schmerzen.
    Seit / Seitdem Beate Larissa getroffen hat, sind drei Monate vergangen.

Nebensätze mit „bis" beschreiben eine Dauer von einem Zeitpunkt bis zu einem späteren Zeitpunkt: • ⟶ •
Sie können vor oder nach dem Hauptsatz stehen.
z.B. Es dauert noch zwei Wochen, bis Beate zu Dr. Rosmann gehen kann.
    Es dauerte zwei Wochen, bis Beate einen Arzttermin bekam.
    Bis Beate zu Dr. Rosman gehen kann, dauert es noch zwei Wochen.
    Bis Beate einen Arzttermin bekam, dauerte es zwei Wochen.

Temporale Angaben

Informationen zu Temporalsätzen mit den Präpositionen „seit" und „bis" finden Sie im Kapitel VI, 1.2.

Gleichzeitigkeit, Vorzeitigkeit und Nachzeitigkeit ausdrücken

Nebensätze mit „während" drücken aus, dass zwei Geschehen gleichzeitig stattfinden. Sie können vor oder nach dem Hauptsatz stehen.
z.B. Während sie einkauft, sitze ich im Café.
    Während wir Kaffee getrunken haben, habe ich die Touristen beobachtet.
    Ich sitze im Café, während sie einkauft.
    Ich habe die Touristen beobachtet, während wir Kaffee getrunken haben.

Nebensätze mit „nachdem" drücken eine vorzeitige Handlung aus, also eine Handlung, die vor der Handlung im Hauptsatz stattfindet. Sie können vor oder nach dem Hauptsatz stehen.
z.B. Nachdem ich den Krimi gelesen hatte, habe ich ihn meiner Freundin geliehen.
    Ich habe meiner Freundin den Krimi geliehen, nachdem ich ihn gelesen hatte.

Wenn etwas vor etwas anderem in der Gegenwart bzw. Zukunft stattfindet, steht im Nebensatz Perfekt und im Hauptsatz Präsens bzw. Futur.
z.B. Nachdem ich Brötchen gekauft habe, mache ich Frühstück / werde ich Frühstück machen.
    → Zuerst kaufe ich Brötchen, dann mache ich Frühstück / dann werde ich Frühstück machen.

Wenn etwas vor etwas anderem in der Vergangenheit stattfindet, steht im Nebensatz Plusquamperfekt, im Hauptsatz Präteritum oder Perfekt.
z.B. Nachdem wir den Bahnhof Zoo erreicht hatten, fing es an zu regnen / hat es zu regnen angefangen.
    → Zuerst hatten wir den Bahnhof Zoo erreicht, dann fing es an zu regnen / dann hat es zu regnen angefangen.

Nebensätze mit „bevor" drücken eine nachzeitige Handlung aus, also eine Handlung, die später als die Handlung im Hauptsatz stattfindet. Sie können vor oder nach dem Hauptsatz stehen.

z. B. Bevor ich meiner Freundin den Krimi geliehen habe, habe ich ihn gelesen.

  Ich habe den Krimi gelesen, bevor ich ihn meiner Freundin geliehen habe.

Im Nebensatz mit „bevor" und im Hauptsatz steht meistens die gleiche Zeit.

z. B. Bevor ich das Abendesse mache, gehe ich einkaufen.

  → Zuerst gehe ich einkaufen, dann mache ich das Abendessen.

  Bevor ich endlich die Füße hochlegen konnte, musste ich noch mit Marlene zum Markt.

  → Ich musste zuerst mit Marlene zum Markt, bevor ich die Füße hochlegen konnte.

Temporale Angaben

Informationen zu Temporalsätzen mit den Präpositionen „während", „nach" und „vor" finden Sie im Kapitel VI, 1.1.

3.3 Finalsätze L: 24 ▶

Finalsätze drücken ein Ziel aus. Sie antworten auf die Fragen **„Wozu . . .?"**, **„Mit welchem Ziel . . .?"**, **„Mit welcher Absicht . . .?"**.

Nebensätze mit „damit"

Nebensätze mit „damit" können vor oder nach dem Hauptsatz stehen.

z. B. Fachleute betreuen die Freiwilligen, damit diese keine Fehler machen.

  Damit die Freiwilligen keine Fehler machen, betreuen Fachleute sie.

Nebensätze mit „um . . . zu" + Infinitiv

Nebensätze mit „um … zu" + Infinitiv können vor oder nach dem Hauptsatz stehen.

z. B. Du musst Mitglied werden, um die Liste der Höfe zu erhalten.

  Um die Liste der Höfe zu erhalten, musst du Mitglied werden.

Verwendung von „um . . . zu" und „damit"

Wenn das Subjekt von Haupt- und Nebensatz gleich ist, kann man „um … zu" + Infinitiv oder „damit" verwenden. Man verwendet in dem Fall meistens „um … zu" + Infinitiv, weil es den Satz kürzer macht.

z. B. Damit man mitmachen kann, braucht man keine Vorkenntnisse.

  Um mitmachen zu können, braucht man keine Vorkenntnisse.

Wenn das Subjekt von Haupt- und Nebensatz verschieden ist, muss man „damit" verwenden.

z. B. Die Fachleute betreuen die Freiwilligen, damit sie keine Fehler machen.

Finale Angaben

Eine Absicht kann man auch mit den Präpositionen „zum"/„zur"/„für" ausdrücken.

Statt „um … zu" + Infinitiv kann man auch „zum" + nominalisierter Infinitiv verwenden.

z. B. Um zu kochen, machen sie ein Feuer.

  → Zum Kochen machen sie ein Feuer.

Bei Nomen, die keine nominalisierten Infinitive sind, verwendet man „zum"/„zur"/„für" + Nomen (das sich meist auf eine Aktivität bezieht).

z. B. Um die Natur zu schützen, arbeiten viele im Bergwaldprojekt.

  → Zum Schutz der Natur arbeiten viele im Bergwaldprojekt.

  Um Tiere zu züchten, braucht man viel Erfahrung.

  → Zur / Für die Tierzucht braucht man viel Erfahrung.

  Um zu arbeiten, braucht man viel Energie.

  → Für die Arbeit braucht man viel Energie.

3.4 Konditionalsätze `L: 12, 22`

Konditionalsätze nennen eine Bedingung. Sie antworten auf die Frage „**Unter welcher Bedingung . . .?**".

Konditionalsätze (= Bedingungssätze) mit „wenn"
Nebensätze mit „wenn" können eine Bedingung nennen. Der Nebensatz mit „wenn" kann vor oder nach dem Hauptsatz stehen.
z. B. Rui bekommt Zinsen, wenn er Geld anlegt.
        Wenn Rui Geld anlegt, bekommt er Zinsen.

Steht der „wenn"-Satz vor dem Hauptsatz, kann der Hauptsatz mit „dann" beginnen.
z. B. Wenn Rui Geld anlegt, (dann) bekommt er Zinsen.

Irreale Konditionalsätze (= irreale Bedingungssätze) mit „wenn"
Nebensätze mit „wenn" und dem Konjunktiv II drücken aus, dass die Bedingung im Nebensatz mit „wenn" nicht erfüllt ist. Das bedeutet, dass die Folge nicht oder nur vielleicht realisiert wird.
z. B. Wenn Markus den Paketschein hätte, könnte er nachforschen, wo das Paket von seiner Schwester ist.
        → Markus hat den Paketschein nicht, daher kann er nicht nachforschen, wo das Paket von seiner Schwester ist.

Irreale Konditionalsätze (= irreale Bedingungssätze) ohne „wenn"
Irreale Bedingungen kann man auch mit Nebensätzen ohne „wenn" ausdrücken. Das Verb vom Nebensatz steht dann auf Position 1.
z. B. Wenn ich nicht so unordentlich wäre, könnte ich den Paketschein finden.
        → Wäre ich nicht so unordentlich, könnte ich den Paketschein finden.

Konditionale Angaben
Bedingungen kann man auch mit der Präposition „bei" + Dativ ausdrücken.
z. B. Bei einer guten Geldanlage bekommt man höhere Zinsen.
        Bei einem erfolgreichen Nachforschungsauftrag wüsste Markus, wo das Paket ist.

3.5 Konzessivsätze `L: 23`

Konzessive Satzverbindungen drücken einen Grund aus, der **nicht** die Wirkung hat, die man „normalerweise" erwartet, sodass etwas **entgegen** einer Erwartung geschieht bzw. folgt. Deshalb sagt man auch: Sie drücken einen „unwirksamen Gegengrund" aus.

Nebensätze mit „obwohl"
Der unwirksame Gegengrund steht in den Nebensätzen mit „obwohl". Nebensätze mit „obwohl" können vor oder nach dem Hauptsatz stehen.
z. B. Obwohl Franco nicht gut in Mathematik ist, möchte er Betriebswirtschaft studieren.
        Franco möchte Betriebswirtschaft studieren, obwohl er nicht gut in Mathematik ist.
        Möglicher Grund, der dagegen spricht, dass Franco Betriebswirtschaft studiert?
        → Franco ist nicht gut in Mathematik.

Hauptsätze mit „trotzdem" oder „dennoch"
Die Verbindungsadverbien „trotzdem" und „dennoch" beziehen sich auf einen vorhergehenden Hauptsatz.
In diesem Hauptsatz steht der unwirksame Gegengrund. Sie können auf Position 1 oder im Mittelfeld stehen.
z. B. Es wäre sehr anstrengend, trotzdem würde Franco gerne in Deutschland studieren.
        Möglicher Grund, der dagegen spricht, dass Franco in Deutschland studiert?
        → Es wäre sehr anstrengend.
        Franco hat schon Deutsch in Italien gelernt, er müsste dennoch einen Deutschkurs an der Universität machen.
        Möglicher Grund, der dagegen spricht, dass Franco einen Deutschkurs an der Universität macht?
        → Franco hat schon Deutsch in Italien gelernt.

Hauptsätze mit „zwar ..., aber"

Bei Sätzen mit „zwar ..., aber" steht „zwar" im 1. Hauptsatz und „aber" im 2. Hauptsatz. Der unwirksame Gegengrund steht im Hauptsatz mit „zwar". Dieser steht vor dem Hauptsatz mit „aber".

z. B. Franco hat sich zwar schon informiert, aber er hätte gerne noch ein paar Tipps von Marek.
   Möglicher Grund, der dagegen spricht, dass Franco Tipps braucht?
   → Franco hat sich schon informiert.

Im Satz mit „aber" kann verstärkend auch noch „trotzdem" oder „dennoch" stehen.

z. B. Franco hat sich zwar schon informiert, aber (trotzdem) hätte er gerne noch ein paar Tipps von Marek.
   Franco hat sich zwar schon informiert, aber er hätte (trotzdem) gerne noch ein paar Tipps von Marek.

Satzteile mit „zwar ... aber"

z. B. Zwar müde, aber total glücklich kamen wir in der Nacht an.

Konzessive Angaben mit „trotz"

Die Präposition „trotz" + Genitiv (umgangssprachlich auch + Dativ) drückt einen unwirksamen Gegengrund aus.

z. B. Trotz seiner schlechten Noten in Mathematik will Franco Betriebswirtschaft studieren.
   Trotz seinen schlechten Noten in Mathe will Franco Betriebswirtschaft studieren.

3.6 Konsekutivsätze L: 25

Konsekutivsätze geben eine Folge an. Sie antworten auf die Frage **„Was ist die Folge ...?"**.

Nebensätze mit „sodass"

Nebensätze mit „sodass" stehen immer nach dem Hauptsatz.

z. B. Die Kollegen bei Geotherm sind nett, sodass sich Malika sehr wohl fühlt.

Den Nebensatz-Konnektor „sodass" kann man trennen. Dann steht das „so" mit einem Adjektiv oder Adverb im Hauptsatz und am Anfang des Nebensatzes steht „dass".

z. B. Die Kollegen bei Geotherm sind so nett, dass sich Malika sehr wohl fühlt.

Hauptsätze mit „folglich" oder „also"

Die Verbindungsadverbien „also" und „folglich" beziehen sich auf einen Hauptsatz davor. Sie können auf Position 1 oder im Mittelfeld stehen.

Sätze mit „folglich" sind formeller als Sätze mit „also".

z. B. Viele Lerner ärgern sich über Fehler. Folglich betrachten sie Fehler als etwas Negatives.
   Viele Lerner ärgern sich über Fehler. Sie betrachten folglich Fehler als etwas Negatives.
   Viele Lerner ärgern sich über Fehler. Sie betrachten Fehler folglich als etwas Negatives.
   Ich kenne das Wort „Gerät" nicht, also muss ich es im Wörterbuch nachschlagen.
   Ich kenne das Wort „Gerät" nicht, ich muss also das Wort im Wörterbuch nachschlagen.
   Ich kenne das Wort „Gerät" nicht, ich muss das Wort also im Wörterbuch nachschlagen.
   Ich kenne das Wort „Gerät" nicht, ich muss es also im Wörterbuch nachschlagen.

3.7 „dass"-Sätze L: 11, 24 (Trainer)

Nebensätze mit „dass" stehen häufig nach folgenden Verben und Ausdrücken: „hoffen", „glauben", „wissen", „meinen", „finden", „der Ansicht sein" etc.

z. B. Bernhard hofft, dass er im Alltag alles versteht.
   Wir finden, dass Köln eine schöne Stadt ist.

Auf unpersönliche Ausdrücke mit „es" (z. B. „Es freut mich", „Es ist schön", „Es macht mich traurig") kann ein Nebensatz mit „dass" folgen.

z. B. Es freut mich, dass du kommst.
   Es ist schön, dass du ein WG-Zimmer gefunden hast.

Nebensätze mit „dass" stehen selten vor dem Hauptsatz. Wenn man sie vor den Hauptsatz stellt, will man sie in der Regel besonders betonen oder an den Textzusammenhang anpassen.

z. B. Dass Köln eine schöne Stadt ist, kann man in vielen Reiseführern lesen.

Dass Wirtschaftsinformatik ein interessantes Studienfach ist, sagt Bernhard immer wieder.

In der gesprochenen Sprache benutzt man „dass" oft nicht, sondern man formuliert einen 2. Hauptsatz.

z. B. Viele finden, dass Köln eine interessante Stadt ist.

→ Viele finden, Köln ist eine interessante Stadt.

Nebensätze mit „dass" kann man mit einem Präpositionalpronomen einleiten.

z. B. sich freuen auf: Ich freue mich darauf, dass du kommst.

sich ärgern über: Er ärgert sich darüber, dass er so viel arbeiten muss.

sprechen von: Sie spricht davon, dass sie ein Praktikum in Spanien machen möchte.

3.8 Zweiteilige Konnektoren L: 21, 28

„entweder ... oder" nennt zwei Alternativen.

z. B. Entweder wir gehen ins Theater im Hafen oder wir besuchen das Straßenfest.

Entweder gehen wir ins Theater im Hafen oder wir besuchen das Straßenfest.

Wir gehen entweder ins Theater im Hafen oder wir besuchen das Straßenfest.

„sowohl ... als auch" ersetzt den Konnektor „und". „sowohl ... als auch" drückt aus, dass die aufgezählten Elemente gleich wichtig sind.

z. B. Innsbruck bietet sowohl Kultur als auch Natur.

Er kann dort sowohl Berufserfahrung sammeln als auch Leute kennenlernen.

„nicht nur ..., sondern auch" ersetzt den Konnektor „und". In Verbindungen mit „nicht nur ..., sondern auch" ist das zweite Element stärker betont. Zwischen „nicht nur ..., sondern auch" steht immer ein Komma.

z. B. Besucher können dort nicht nur die Architektur, sondern auch die Aussicht bewundern.

„sondern ... auch" kann man auch trennen.

z. B. Bert kann in Tirol nicht nur arbeiten, sondern er kann dort auch studieren.

„weder ... noch" bedeutet, dass kein Element zutrifft.

z. B. Das Restaurant ist weder besonders schick noch ist die Speisekarte aufregend.

Ich kann dort weder etwas lernen noch macht es Spaß.

„je ..., desto / umso" drückt ein Verhältnis aus.

„Je" + Komparativ steht auf Position 1 des 1. Satzes (= Nebensatz). „desto / umso" + Komparativ steht auf Position 1 des 2. Satzes (= Hauptsatz), auf Position 2 steht das Verb.

z. B. Je kleiner ein Wahlkreis ist, desto wichtiger ist die einzelne Stimme.

Je mehr Stimmen eine Partei erhält, umso mehr Sitze bekommt sie.

3.9 Adverbien der Aufzählung L: 11

Die Adverbien „außerdem" und „zudem" verwendet man bei Aufzählungen oder Ergänzungen.

Sie können auf Position 1 oder im Mittelfeld stehen.

z. B. Die Kölner Akademie bietet Sprachkurse und Filme. Außerdem gibt es dort eine große Bibliothek.

Bernhard liebt das Fach Wirtschaftsinformatik. Mit dem Fach hat er später zudem viele Berufschancen.

3.10 Indirekte Fragesätze `L: 15`

Wenn man besonders höflich sein möchte, kann man Fragen indirekt formulieren, indem man sie mit einer Redewendung wie „Ich möchte wissen, …" oder „Können Sie mir sagen, …" einleitet.

Wenn die direkte Frage eine Ja/Nein-Frage ist, beginnt die indirekte Frage mit „ob". Das Verb steht dann am Satzende.
z. B. Gibt es auch Führungen zum Thema „Film"?
    → Ich möchte wissen, ob es auch Führungen zum Thema „Film" gibt.
    Können wir die Karten an der Abendkasse kaufen?
    → Ich möchte fragen, ob wir die Karten an der Abendkasse kaufen können.

Wenn die direkte Frage mit einem Fragewort beginnt, beginnt die indirekte Frage mit dem gleichen Fragewort. Das Verb steht dann am Satzende.
z. B. Wie lange dauert die Führung?
    → Können Sie mir sagen, wie lange die Führung dauert?
    Wo ist der Treffpunkt?
    → Können Sie mir auf dem Plan zeigen, wo der Treffpunkt ist?
    Welches Ticket ist am besten?
    → Ich möchte gern wissen, welches Ticket am besten ist.

Nach indirekten Fragen steht ein Punkt (.), wenn der Einleitungssatz keine Frage ist.
z. B. Ich möchte wissen, wann du kommst.
    Wir würden gern erfahren, ob der Film um 20.00 Uhr beginnt.

Nach indirekten Fragen steht ein Fragezeichen (?), wenn der Einleitungssatz eine Frage ist.
z. B. Weißt du, wann du kommst?
    Hast du gehört, ob der Flug pünktlich ist?

3.11 Infinitivsätze `L: 21`

Infinitivsätze bildet man mit „zu" + Infinitiv. Der Infinitiv mit „zu" steht am Satzende.
z. B. Irina hat Lust, das Hafenfest zu besuchen.

Bei Verben mit trennbarer Vorsilbe steht das „zu" zwischen Vorsilbe und Verbstamm.
z. B. Antonia liebt es, auf einem Schiff mitzufahren.

In Passivsätzen steht das „zu" zwischen dem Partizip Perfekt und „werden".
z. B. Es ist sehr unangenehm, angerempelt zu werden.
    Er findet es unhöflich, beim Essen gestört zu werden.

Infinitivsätze stehen häufig nach Ausdrücken wie „Lust haben", „vorhaben", „es gut/schlecht/… finden", „es lieben", „Es ist" + Adjektiv.
z. B. Eleni findet es gut, ins Theater zu gehen.
    Irinas Bruder hat vor, ins Musical zu gehen.
    Es ist interessant, eine Hafenrundfahrt zu machen.

3.12 Relativsätze

Relativsätze mit „der"/„das"/„die"   L: 16, 30

Relativsätze sind Nebensätze. Sie erklären ein Nomen im Hauptsatz.
Das Genus (der, das, die) und der Numerus (Singular, Plural) des Relativpronomens richten sich nach dem Nomen, auf das es sich bezieht.

z. B. Ich hatte einen Berater, der sehr kompetent war.
   Er hat mir Tipps gegeben, die sehr hilfreich waren.

Der Kasus richtet sich:
– nach dem Verb im Relativsatz.
   z. B. „zeigen" + Dat. → Mein Vater, dem ich das Ergebnis gezeigt habe, war ganz begeistert.
      „treffen" + Akk. → Mein Vater, den ich vorhin getroffen habe, war ganz begeistert.
– nach der Präposition beim Verb.
   z. B. „sprechen mit" + Dat. → Zwei Freunde von meinem Bruder, mit denen ich gesprochen habe, machen auch zuerst eine Lehre.
      „bitten um" + Akk. → Das Geld, um das er mich gebeten hat, hat er heute bekommen.

Der Relativsatz steht meist direkt hinter dem Wort, zu dem er gehört. Dann kann er den Hauptsatz teilen: Haupt-, Relativsatz, -satz.
z. B. Mein Vater, dem ich das Ergebnis gezeigt habe, war ganz begeistert.

Im Nominativ, Akkusativ und Dativ Singular und im Nominativ und Akkusativ Plural sind die Relativpronomen wie der bestimmte Artikel. Im Dativ Plural und im Genitiv Singular und Plural sind die Formen „denen", „dessen" oder „deren"/„derer".

	M (Maskulinum)	N (Neutrum)	F (Femininum)	Plural (M, N, F)
Nom.	der	das	die	die
Akk.	den	das	die	die
Dat.	dem	dem	der	denen
Gen.	dessen / dessen	dessen / dessen	deren / derer	deren / derer

Im Regelfall steht das Relativpronomen im Genitiv mit possessiver Bedeutung. Es steht mit einem Nomen.
z. B. Der Berater, dessen Unterlagen sehr hilfreich waren, hat auch Freunde von Rainer beraten.
   Die Beraterin, deren Unterlagen sehr hilfreich waren, hat auch Freunde von Rainer beraten.

Die „reinen" Relativpronomen „dessen" und „derer" verwendet man, wenn das Verb, die Präposition oder ein Ausdruck im Relativsatz eine Genitivergänzung erfordern.
z. B. Der Berater, dessen ich mich noch gut entsinne, hat schon vielen Menschen geholfen.
   Die Beraterin, derer ich mich noch gut entsinne, hat schon vielen Menschen geholfen.
   Der Berater, wegen dessen ich in die Agentur für Arbeit gegangen bin, war leider krank.
   Die Beraterin, wegen derer ich in die Agentur für Arbeit gegangen bin, war leider krank.

	possessive Bedeutung	bei Verben oder Präpositionen + Genitiv
M (Maskulinum)	der Genitiv, dessen Gebrauch zurückgeht	der Verstorbene, dessen wir gedenken
N (Neutrum)	ein Wort, dessen Form man beibehalten hat	das Wort, dessen er sich bedient
F (Femininum)	die Sprache, deren Grammatik normiert ist	eine Dame, derer ich mich noch gut entsinne
Plural (M, N, F)	Dialekte, deren Gebrauch zurückgeht	die Freunde, wegen derer wir anreisen

Relativsätze mit „wo" L: 19

Anstelle von „in" + Relativpronomen im Dativ kann man „wo" verwenden.
Das Relativpronomen „wo" bezieht sich auf Ortsangaben.
z. B. Ich möchte das Museum besuchen, in dem man moderne Kunst zeigt.
    → Ich möchte das Museum besuchen, wo man moderne Kunst zeigt.
    In der Abteilung, in der ich in den ersten Wochen arbeite, sind die Kollegen sehr nett.
    → In der Abteilung, wo ich in den ersten Wochen arbeite, sind die Kollegen sehr nett.
    Ich bin schon sehr gespannt auf die Abteilungen, in denen ich anschließend bin.
    → Ich bin schon sehr gespannt auf die Abteilungen, wo ich anschließend bin.

Bezieht sich das Relativpronomen auf Städte und Länder, die ohne Artikel gebraucht werden, steht immer das Relativpronomen „wo".
z. B. Mit Deutschland, wo er jahrelang gelebt hat, verbindet ihn heute noch viel.
    Ich kenne München, wo ich geboren bin, sehr gut.

Relativsätze mit „was" / „wo(r)-" L: 29

Das Relativpronomen „was" kann sich auf einen ganzen Satz beziehen.
z. B. Der Befragte ist Stammwähler, was er gut findet.
    Der Landtagsabgeordnete Müller hat mehr Stimmen als vor vier Jahren erhalten, was ihn sehr freut.

Das Relativpronomen „was" kann sich auf ein Pronomen beziehen, z. B. „das", „nichts", „alles", „etwas", „einiges", „vieles".
z. B. Das, was den Befragten nicht interessiert, sind Wahlen.
    Beim deutschen Wahlsystem gibt es vieles, was anders als in Großbritannien ist.

Zusammen mit einer Präposition verwendet man nicht „was", sondern „wo(r)-" + Präposition, z. B. „wofür", „worauf", „worüber".
z. B. Der Befragte ist Stammwähler, worauf er stolz ist. (= stolz sein auf)
    Das, wofür der Befragte sich nicht interessiert, sind Wahlen. (= sich interessieren für)
    Beim deutschen Wahlsystem gibt es vieles, worüber sich Jack wundert. (= sich wundern über)

VIII. Positionen im Satz

1. Subjekt / Nominativergänzung L: 2, 3, 18

Das Subjekt steht im Aussagesatz auf Position 1 oder direkt nach dem Verb.

Position 1	Position 2	
Silke	geht	am Nachmittag in eine Ausstellung.
Am Nachmittag	geht	Silke in eine Ausstellung.

Die Frage nach dem Subjekt lautet:
Wer / Was ist / hat / macht / braucht / …?
In der Frage nach dem Subjekt steht das Verb immer im Singular.
z.B. Wer macht Urlaub in Italien? – Petra macht Urlaub in Italien.
  Wer hat Urlaub? – Silke und Thomas haben Urlaub.
  Was ist gut? – Das Wetter ist gut.

Die Frage nach der Nominativergänzung lautet:
Wer / Was bist / ist / wird / …?
In der Frage nach der Nominativergänzung richtet sich das Verb nach dem Subjekt.
z.B. Wer ist das? – Das ist unsere Kursleiterin.
  Wer bist du? – Ich bin eine Freundin von Silke.
  Was seid ihr von Beruf? – Wir sind Architekten.
  Was wird er? – Er wird Arzt.

Nach „sein" und „werden" kann eine Nominativergänzung oder ein Adjektiv stehen.
„werden" bedeutet hier „etwas verändert / entwickelt sich".
z.B. Das ist der neue Lehrer.
  Der Film war sehr interessant.
  Sie wird Ärztin.
  Am Nachmittag wurde es sehr heiß.

2. Akkusativ- und Dativergänzung L: 2, 9, 12

2.1 Akkusativergänzung

Die Frage nach der Akkusativergänzung (= Akkusativobjekt) lautet:
Wen / Was hat / macht / braucht / … Silke?
z.B. Wen trifft Silke am Donnerstag? – Am Donnerstag trifft Silke eine Freundin.
  Was machen Silke und Thomas? – Sie machen einen Ausflug.

Die Formulierung „es gibt" steht immer mit einer Akkusativergänzung.
z.B. Was gibt es im Klassenzimmer? – Es gibt einen Tisch und eine Tafel.

2.2 Dativergänzung

Die Frage nach der Dativergänzung (= Dativobjekt) lautet:
Wem gibt / kauft / zeigt er … ?
z.B. Wem kauft Markus die Fußballschuhe? – Markus kauft seinem Sohn die Fußballschuhe.
  Wem zeigt Klaus die Stadt? – Klaus zeigt seinem Vater die Stadt.

Die Dativergänzung steht oft zusammen mit einer Akkusativergänzung im Satz.
z.B. Anita backt ihrer Mutter einen Kuchen.
  Frank schreibt seinen Eltern einen Brief.

Manche Verben stehen immer mit Dativergänzung.
z. B. Er hilft seinem Vater.
      Ich antworte ihm.
      Harald dankt seiner Schwester herzlich.
      Sie glaubt ihr nicht.

2.3 Stellung von Dativ- und Akkusativergänzung im Satz

Nomen + Nomen: zuerst Dativ, dann Akkusativ.
z. B. Anita und Markus schenken ihrem Sohn ein Buch.

Personalpronomen + Personalpronomen: zuerst Akkusativ, dann Dativ.
z. B. Anita und Markus schenken es ihm.

Personalpronomen + Nomen: zuerst Personalpronomen, dann Nomen.
z. B. Anita und Markus schenken es ihrem Sohn.
      Anita und Markus schenken ihm das Buch.

2.4 Genitiv   L: 2, 16, 21, 30 ▶

Genitiv mit possessiver Bedeutung
Der Genitiv steht in der Regel nicht alleine, sondern als Possessiv zu einem Nomen.
Die Frage nach dem Genitiv lautet:
Wessen Buch / Kind / … ?
z. B. Wessen Kind ist das? – Das ist das Kind der Nachbarn.
      Wessen Auto nehmen wir? – Wir nehmen das Auto meines Bruders.

Genitiv bei Nomen ohne Artikel
Bei Nomen ohne Artikel verwendet man anstelle vom Genitiv „von" + Dativ.
z. B. Wessen Pflege übernimmt sie? – Sie übernimmt die Pflege von Kleinkindern.

Genitiv bei Eigennamen
Bei vorangestellten Namen steht „-s" am Namen.
z. B. Wessen Terminkalender ist das? – Das ist Silkes Terminkalender.
Namen mit „-s", „-z" oder „-x" am Ende erhalten einen Apostroph.
z. B. Wessen Freunde treffen wir heute? – Wir treffen Thomas' Freunde.

Genitivergänzung
Einige wenige Verben stehen mit Genitivergänzung. Man gebraucht sie nur im sehr gehobenen
Sprachgebrauch.
Die Frage nach der Genitivergänzung lautet:
Wessen gedenke / bedarf / …?
z. B. Wessen gedenken sie? – Sie gedenken ihrer Vorfahren.
      Wessen bedarf der Umweltschutz? – Der Umweltschutz bedarf unserer Hilfe.
      Wessen klagt der Richter ihn an? – Der Richter klagt ihn des Mordes an.

3. Mittelfeld L: 15

Das Subjekt im Mittelfeld

Steht das Subjekt im Mittelfeld, kommt es direkt nach dem Verb.

	Position 2	Mittelfeld	Satzende
Am Sonntag	will	Jörg	schwimmen.
Am Abend	hat	Jörg	gelesen.

Angaben im Mittelfeld

Im Mittelfeld stehen Zeitangaben meistens vor Ortsangaben.

	Position 2	Mittelfeld	Satzende
Jörg	will	am Sonntag im Hallenbad	schwimmen.
Jörg	hat	am Abend in seinem Zimmer	gelesen.

Modalangaben (z. B. „gern", „mit Freunden") stehen im Mittelfeld meistens zwischen Zeit- und Ortsangaben.

	Position 2	Mittelfeld	Satzende
Jörg	will	am Sonntag mit seinen Freunden im Hallenbad	schwimmen.
Jörg	hat	am Abend gern in seinem Zimmer	gelesen.

Ergänzungen im Mittelfeld

– Dativergänzungen stehen meistens vor den Zeit-, Modal- und Ortsangaben.
– Akkusativergänzungen stehen oft nach den Zeit-, Modal- und Ortsangaben.

	Position 2	Mittelfeld	Satzende
Jörg	möchte	seinen Freunden am Abend auf dem Computer einen Film	zeigen.
Jörg	hat	am Abend gern in seinem Zimmer ein Buch	gelesen.

Pronomen stehen vor den Zeit-, Modal- und Ortsangaben.

	Position 2	Mittelfeld	Satzende
Jörg	hat	ihnen am Abend auf dem Computer einen Film	gezeigt.
Jörg	hat	es am Nachmittag gern in seinem Zimmer	gelesen.

Angaben und Ergänzungen auf Position 1

Alle Angaben können auch auf Position 1 stehen. Sie sind dann etwas stärker betont.

	Position 2	Mittelfeld	Satzende
Am Sonntag	will	Jörg mit seinen Freunden im Hallenbad	schwimmen.
Mit seinen Freunden	will	Jörg am Sonntag im Hallenbad	schwimmen.
Im Hallenbad	will	Jörg am Sonntag mit seinen Freunden	schwimmen.

Die Reihenfolge der Angaben hängt auch davon ab, wie sie besser in den Textzusammenhang passen.
z. B. Am Samstag hat Jörg keine Zeit. Aber am Sonntag will er mit seinen Freunden ins Hallenbad gehen.
    Jörg trifft sich mit seinen Freunden vor dem Hallenbad. Denn dort wollen sie schwimmen.

Dativ- und Akkusativergänzungen können auch auf Position 1 stehen, wenn es in den Textzusammenhang passt und / oder man sie besonders betonen möchte.

z.B. Gehört das Fahrrad deinem Bruder? – Nein, meiner Schwester gehört es.
Ziehst du das blaue Kleid an? – Nein, das rote Kleid ziehe ich an.

Reflexivpronomen im Mittelfeld
– Wenn der Satz mit dem Subjekt beginnt, steht das Reflexivpronomen meist hinter dem Verb.
– Wenn der Satz nicht mit dem Subjekt beginnt, steht das Reflexivpronomen hinter dem Subjekt, wenn dies ein Personalpronomen ist. Wenn das Subjekt ein Nomen ist, kann das Reflexivpronomen auch vor dem Subjekt stehen.
– Das Reflexivpronomen steht meist vor Ergänzungen und Angaben. Wenn die Ergänzung ein Personalpronomen ist, steht das Reflexivpronomen nach dem Personalpronomen.

	Position 2	Mittelfeld	Satzende
Ruth	hat	sich ein Buch	gekauft.
Gestern	hat	sie sich ein Buch	gekauft.
Gestern	hat	Ruth sich ein Buch	gekauft.
Gestern	hat	sich Ruth ein Buch	gekauft.
Ruth	hat	sich gestern ein Buch	gekauft.
Ruth	hat	es sich gestern	gekauft.

IX. Negation

1. Negation mit „nicht" L: 2, 10, 18

1.1 Wortstellung von „nicht"

„nicht" steht in der Regel links von dem Element, das verneint wird.
z. B. Das ist nicht unser Haus.
Sie fährt nicht vor 9.00 Uhr.
Ich kaufe das Buch nicht für mich.

Wenn der ganze Satz verneint wird, steht „nicht" am Satzende.
z. B. Am Wochenende kann ich nicht.
Uns gefällt der Film nicht.
Sie kommt wahrscheinlich nicht.
Ich arbeite heute nicht.

„nicht" steht immer vor dem zweiten Verb, dem zweiten Verbteil, der Vorsilbe von trennbaren Verben, einer Prädikatsergänzung.
z. B. Ich kann dich nicht anrufen.
Er ist gestern nicht gekommen.
Wir fahren nicht weg.
Das Essen ist nicht warm.
Ich finde das nicht gut.

1.2 Sätze mit „nicht ..., sondern ..."

Wenn Satzelemente verneint werden, kann man mit „sondern" die Alternative anschließen.
z. B. Das ist nicht unser Haus, sondern das Haus von unseren Nachbarn.
Sie fährt nicht um 9.00 Uhr, sondern um 11.15 Uhr.
Ich kaufe das Buch nicht für mich, sondern für meine Freundin.

2. Negation mit „kein-" L: 2, 9, 16

„kein-" verneint Nomen mit unbestimmtem Artikel oder Nullartikel.
z. B. Sie hat einen Bruder. → Sie hat keinen Bruder.
Ich habe Zeit. → Ich habe keine Zeit.

„kein-" verneint Nomen + Adjektiv mit unbestimmtem Artikel oder Nullartikel.
z. B. Er kauft sich eine teure Uhr. → Er kauft sich keine teure Uhr.
Wir haben kleine Kinder. → Wir haben keine kleinen Kinder.

„kein-" dekliniert man wie den unbestimmten Artikel.

	Singular			Plural
	M (Maskulinum)	N (Neutrum)	F (Femininum)	M, N, F
Nom.	ein / kein Ausflug	ein / kein Konzert	eine / keine Kathedrale	– / keine Söhne
Akk.	einen / keinen Ausflug	ein / kein Konzert	eine / keine Kathedrale	– / keine Söhne
Dat.	einem / keinem Ausflug	einem / keinem Konzert	einer / keiner Kathedrale	– / keinen Söhnen
Gen.	eines / keines Ausflugs	eines / keines Konzerts	einer / keiner Kathedrale	– / keiner Söhne

3. Besondere Formen der Negation `L: 2, 3, 7, 8, 12, 18, 22`

Viele Adjektive kann man mit der Vorsilbe „un-" negieren.
z. B. interessant → uninteressant
       bequem → unbequem

„mit" → „ohne"
z. B. Kommt er mit seinen Freunden? – Nein, er kommt ohne seine Freunde.
       Trinkst du Kaffee mit Milch? – Nein, ich trinke Kaffee ohne Milch.

„schon" → „noch kein-"/„noch nicht"
z. B. Hast du schon eine Karte – Nein, ich habe noch keine Karte.
       Hat Leon schon gegessen? – Nein, er hat noch nicht gegessen.
       Ist das Paket schon angekommen? – Nein, es ist noch nicht angekommen.

„noch" → „kein- mehr"/„nicht mehr"
z. B. Hast du noch Zeit? – Nein, ich habe keine (Zeit) mehr.
       Kauft Lena noch eine Winterjacke? – Nein, sie kauft keine (Winterjacke) mehr.
       Liegt hier noch die Zeitung von gestern? – Nein, die (Zeitung von gestern) liegt nicht mehr hier.
       Brauchst du noch mein Fahrrad? – Nein, dein Fahrrad brauche ich nicht mehr.

„jemand"/„irgendwer" → „niemand"
z. B. Hier ist jemand. → Hier ist niemand.
       Irgendwer hat das Buch gekauft. → Niemand hat das Buch gekauft.

„etwas" → „nichts"
z. B. Ich gebe dir etwas. → Ich gebe dir nichts.
       Ich sehe etwas. → Ich sehe nichts.

„irgendwann" → „nie"
z. B. Irgendwann fliege ich nach Südamerika. → Nie fliege ich nach Südamerika.

„irgendwo" → „nirgendwo"/„nirgends", „irgendwohin" → „nirgendwohin", „irgendwoher" → „nirgendwoher"
z. B. Das Buch ist irgendwo. → Das Buch ist nirgendwo / nirgends.
       Ich will irgendwohin fahren. → Ich will nirgendwohin fahren.
       Er kommt irgendwoher. → Er kommt nirgendwoher.

X. Wortbildung

1. Komposita

1.1 Nomen + Nomen `L: 8`

- Man kann zwei Nomen zu einem neuen Nomen verbinden.
- Das erste Wort (= Bestimmungswort) gibt mehr Informationen zum zweiten Wort (= Grundwort) und macht es spezifischer.
- Das zusammengesetzte Nomen hat den gleichen Artikel wie das Grundwort.
- Zusammengesetzte Nomen haben ihre Betonung auf dem Bestimmungswort.

Bestimmungswort	+	Grundwort	=	Zusammensetzung
die Speise	+	die Karte	=	die Speisekarte
das Gemüse	+	der Auflauf	=	der Gemüseauflauf
die Birnen (Pl.)	+	der Saft	=	der Birnensaft
die Hühner (Pl.)	+	die Suppe	=	die Hühnersuppe
das Schwein (+ -e)	+	der Braten	=	der Schweinebraten

Einige zusammengesetzte Nomen haben ein „-s-", „-e-" oder „-n-" zwischen den beiden Nomen, damit man es leichter sprechen kann.
- „-s-", z. B. Geburtstagsparty
- „-e-", z. B. Schweinebraten
- „-n-", z. B. Sonnenbrille

Zusammengesetzte Nomen können auch aus mehreren Nomen bestehen. Das letzte Wort ist immer das Grundwort. Sie haben ihre Betonung auf dem 1. Bestimmungswort.
z. B. das Kuchenrezept → das Apfelkuchenrezept

1.2 Verb / Adjektiv + Nomen `L: 22`

- Man kann auch einen Verbstamm oder ein Adjektiv + Nomen zu einem neuen Nomen verbinden.
- Der Verbstamm bzw. das Adjektiv ist das Bestimmungswort und gibt mehr Informationen zum Grundwort.
- Das zusammengesetzte Nomen hat den gleichen Artikel wie das Grundwort.
- Zusammengesetzte Nomen haben ihre Betonung auf dem Bestimmungswort.

Bestimmungswort	+	Grundwort	=	Zusammensetzung
schreib(en)	+	die Übung	=	die Schreibübung
ess(en)	+	der Tisch	=	der Esstisch
schnell	+	die Straße	=	die Schnellstraße
hoch	+	das Haus	=	das Hochhaus

Zusammengesetzte Nomen können auch aus mehreren Wörtern bestehen. Das letzte Wort ist immer das Grundwort. Sie haben ihre Betonung auf dem 1. Bestimmungswort.
z. B. das Hochhaus → der Hochhausaufzug

2. Nomen aus Verben, Adjektiven oder Nomen

2.1 Nomen aus dem Infinitiv von Verben L: 8, 26 (Trainer), 30

Man kann Nomen aus dem Infinitiv von Verben bilden. Sie drücken eine Handlung aus. Das Genus ist immer Neutrum.
z.B. essen → das Essen
    kochen → das Kochen
    treffen → das Treffen

Man kann Nomen aus dem Verbstamm bilden, indem man die Nachsilbe (das Suffix) „-ung" anhängt.
Das Genus ist immer Femininum.
z.B. wohn(en) → die Wohnung
    üb(en) → die Übung

Man kann Nomen aus dem Verbstamm bilden, indem man die Endung „-er" anhängt. Das Genus ist immer Maskulinum.
z.B. lehr(en) → der Lehrer
    fahr(en) → der Fahrer

2.2 Nomen aus Adjektiven und Partizipien L: 8, 14 (Trainer), 24, 30

Man kann Nomen aus Adjektiven bilden, indem man die Endung „-e" anhängt. Sie können Abstrakta im Singular bezeichnen. Das Genus ist immer Neutrum.
z.B. neu → das Neue
    süß → das Süße
    kalt → das Kalte

Nach „nichts" und „etwas" haben diese Nomen die Endung „-es".
z.B. neu → etwas / nichts Neues
    süß → etwas / nichts Süßes
    kalt → etwas / nichts Kaltes

Nomen aus Adjektiven können Personen beschreiben. Das Genus entspricht dem Geschlecht der Person.
z.B. blond → der Blonde / die Blonde
    jugendlich → der Jugendliche / die Jugendliche
    alt → der Alte / die Alte

Diese Nomen aus Adjektiven haben die Endung wie das Adjektiv:

Nom.	der Jugendliche	die Jugendlichen	ein Jugendlicher	Jugendliche
Akk.	den Jugendlichen	die Jugendlichen	einen Jugendlichen	Jugendliche
Dat.	mit dem Jugendlichen	mit den Jugendlichen	mit einem Jugendlichen	mit Jugendlichen
Gen.	wegen des Jugendlichen	wegen der Jugendlichen	wegen eines Jugendlichen	wegen Jugendlicher

Man kann Nomen aus Adjektiven bilden, indem man die Nachsilbe (das Suffix) „-heit", „-keit" oder „-schaft" anhängt. Das Genus ist immer Femininum.
z.B. schön → die Schönheit
    frei → die Freiheit
    gültig → die Gültigkeit
    häufig → die Häufigkeit
    schwanger → die Schwangerschaft
    bekannt → die Bekanntschaft

Aus dem Partizip Präsens (= Partizip I: Infinitiv vom Verb + „-d") und dem Partizip Perfekt (= Partizip II), die als Adjektiv gebraucht werden, kann man Nomen bilden. Diese Nomen werden wie Adjektive dekliniert.
- **Partizip I:** Die Reise war anstrengend. → Das Anstrengende an der Reise war die Hitze.
  Der reisende Nachbar ist noch nicht zurück. → Der Reisende ist noch nicht zurück.
- **Partizip II:** Der operierte Patient schläft noch. → Der Operierte schläft noch.
  Die angekommenen Gäste sind müde. → Die Angekommenen sind müde.

2.3 Nomen aus Nomen L: 14 (Trainer), 26 (Trainer), 30

Man kann Nomen aus Nomen bilden, indem man die Nachsilbe (das Suffix) „-ler" anhängt. Das Genus ist immer Maskulinum.
z.B. die Kunst → der Künstler
   der Sport → der Sportler

Man kann Nomen aus Nomen bilden, indem man die Nachsilbe (das Suffix) „-schaft" anhängt. Das Genus ist immer Femininum.
z.B. der Freund → die Freundschaft
   das Land → die Landschaft

3. Adjektive aus Nomen, Verben und Adverbien L: 9 (Trainer)

3.1 Adjektive mit „-lich"

Man kann Adjektive bilden, indem man an das Nomen oder den Verbstamm die Nachsilbe (das Suffix) „-lich" anhängt.
z.B. das Kind → kindlich
   die Sprache → sprachlich
   vergess(en) → vergesslich
   nachdenk(en) → nachdenklich

3.2 Adjektive mit „-isch"

Man kann Adjektive bilden, indem man an das Nomen oder den Verbstamm die Nachsilbe (das Suffix) „-isch" bzw. „-erisch" anhängt.
z.B. Europa → europäisch
   der Künstler → künstlerisch
   regn(en) → regnerisch
   wähl(en) → wählerisch

3.3 Adjektive mit „-ig"

Man kann Adjektive bilden, indem man an das Nomen, das Adverb oder an den Verbstamm die Nachsilbe (das Suffix) „-ig" anhängt.
z.B. die Ruhe → ruhig
   die Tat → tätig
   heute → heutig
   dort → dortig
   abhäng(en) → abhängig
   auffall(en) → auffällig

4. Diminutiv L: 14

Die Endungen „-chen" und „-lein" machen Personen und Dinge klein.
z. B. das Haus → Du hast aber ein kleines Häuschen!
   der Schrank → Ich suche ein Schränkchen für die schmale Ecke im Flur.

„-chen" bedeutet auch: Man findet etwas hübsch / nett.
z. B. Oh, was für ein süßes Kätzchen!
   Heute hast du ein hübsches Blüschen an.

Das Genus ist immer Neutrum.
z. B. der Rock → das Röckchen / das Röcklein
   die Tasche → das Täschchen / das Täschlein

Der Singular und Plural sind gleich.
z. B. das Jäckchen – die Jäckchen
   das Männlein – die Männlein

Meistens gibt es einen Vokalwechsel (a → ä, o → ö, u → ü) und das „-e" am Ende fällt weg.
z. B. die Jacke → das Jäckchen
   die Bluse → das Blüschen
   die Rose → das Röschen

Die Endung „-lein" kommt oft in Liedern oder Märchen vor. In der Alltagssprache benutzt man meist die Endung „-chen".
z. B. das Männlein ↔ das Männchen
   das Liedlein ↔ das Liedchen

Die Verkleinerungsform „-lein" wie in „das Jäcklein" wird:
– im Schwäbischen meist zu „-le": das Jäckle
– im Österreichischen meist zu „-erl": das Jackerl
– in der Schweiz meist zu „-li": das Jäckli

Die wichtigsten unregelmäßigen und gemischten Verben und die Modalverben

Infinitiv	3. P. Sg. Präsens	3. P. Sg. Präteritum	3. P. Sg. Perfekt
abbiegen	biegt ab	bog ab	ist abgebogen
abfahren	fährt ab	fuhr ab	ist abgefahren
abfliegen	fliegt ab	flog ab	ist abgeflogen
abgeben	gibt ab	gab ab	hat abgegeben
abheben	hebt ab	hob ab	hat abgehoben
abwaschen	wäscht ab	wusch ab	hat abgewaschen
anbieten	bietet an	bot an	hat angeboten
anfangen	fängt an	fing an	hat angefangen
ankommen	kommt an	kam an	ist angekommen
annehmen	nimmt an	nahm an	hat angenommen
anrufen	ruft an	rief an	hat angerufen
ansprechen	spricht an	sprach an	hat angesprochen
anziehen (sich)	zieht (sich) an	zog (sich) an	hat (sich) angezogen
aufgeben	gibt auf	gab auf	hat aufgegeben
aufhalten, sich	hält sich auf	hielt sich auf	hat sich aufgehalten
aufnehmen	nimmt auf	nahm auf	hat aufgenommen
aufschlagen	schlägt auf	schlug auf	hat aufgeschlagen
aufschreiben	schreibt auf	schrieb auf	hat aufgeschrieben
aufstehen	steht auf	stand auf	ist aufgestanden
aufwachsen	wächst auf	wuchs auf	ist aufgewachsen
ausdenken, sich	denkt sich aus	dachte sich aus	hat sich ausgedacht
ausgehen	geht aus	ging aus	ist ausgegangen
auskennen, sich	kennt sich aus	kannte sich aus	hat sich ausgekannt
ausschneiden	schneidet aus	schnitt aus	hat ausgeschnitten
aussehen	sieht aus	sah aus	hat ausgesehen
aussprechen	spricht aus	sprach aus	hat ausgesprochen
aussteigen	steigt aus	stieg aus	ist ausgestiegen
ausweichen	weicht aus	wich aus	ist ausgewichen
ausziehen	zieht aus	zog aus	ist ausgezogen
ausziehen (sich)	zieht (sich) aus	zog (sich) aus	hat (sich) ausgezogen
backen	bäckt	backte	hat gebacken
bedenken	bedenkt	bedachte	hat bedacht
befinden, sich	befindet sich	befand sich	hat sich befunden
beginnen	beginnt	begann	hat begonnen
behalten	behält	behielt	hat behalten
beitragen	trägt bei	trug bei	hat beigetragen

Infinitiv	3. P. Sg. Präsens	3. P. Sg. Präteritum	3. P. Sg. Perfekt
bekommen	bekommt	bekam	hat bekommen
beraten	berät	beriet	hat beraten
beschließen	beschließt	beschloss	hat beschlossen
beschreiben	beschreibt	beschrieb	hat beschrieben
besitzen	besitzt	besaß	hat besessen
besprechen	bespricht	besprach	hat besprochen
bestehen	besteht	bestand	hat bestanden
betragen	beträgt	betrug	hat betragen
betreffen	betrifft	betraf	hat betroffen
betreten	betritt	betrat	hat betreten
betrügen	betrügt	betrog	hat betrogen
bewerben, sich	bewirbt sich	bewarb sich	hat sich beworben
bieten	bietet	bot	hat geboten
bitten	bittet	bat	hat gebeten
bleiben	bleibt	blieb	ist geblieben
braten	brät	briet	hat gebraten
brechen	bricht	brach	hat gebrochen
brennen	brennt	brannte	hat gebrannt
bringen	bringt	brachte	hat gebracht
denken	denkt	dachte	hat gedacht
durchlesen	liest durch	las durch	hat durchgelesen
durchstreichen	streicht durch	strich durch	hat durchgestrichen
dürfen	darf	durfte	hat gedurft
einfallen	fällt ein	fiel ein	ist eingefallen
eingeben	gibt ein	gab ein	hat eingegeben
einhalten	hält ein	hielt ein	hat eingehalten
einladen	lädt ein	lud ein	hat eingeladen
einnehmen	nimmt ein	nahm ein	hat eingenommen
einschlafen	schläft ein	schlief ein	ist eingeschlafen
einschreiben (sich)	schreibt (sich) ein	schrieb (sich) ein	hat (sich) eingeschrieben
eintragen	trägt ein	trug ein	hat eingetragen
einziehen	zieht ein	zog ein	ist eingezogen
empfangen	empfängt	empfing	hat empfangen
empfehlen	empfiehlt	empfahl	hat empfohlen
enthalten	enthält	enthielt	hat enthalten
entlassen	entlässt	entließ	hat entlassen
entscheiden (sich)	entscheidet (sich)	entschied (sich)	hat (sich) entschieden

Infinitiv	3. P. Sg. Präsens	3. P. Sg. Präteritum	3. P. Sg. Perfekt
entschließen, sich	entschließt sich	entschloss sich	hat sich entschlossen
entstehen	entsteht	entstand	ist entstanden
erfahren	erfährt	erfuhr	hat erfahren
erfinden	erfindet	erfand	hat erfunden
erhalten	erhält	erhielt	hat erhalten
erkennen	erkennt	erkannte	hat erkannt
erscheinen	erscheint	erschien	ist erschienen
erwerben	erwirbt	erwarb	hat erworben
essen	isst	aß	hat gegessen
fahren	fährt	fuhr	ist gefahren
fallen	fällt	fiel	ist gefallen
fangen	fängt	fing	hat gefangen
fernsehen	sieht fern	sah fern	hat ferngesehen
festhalten	hält fest	hielt fest	hat festgehalten
finden	findet	fand	hat gefunden
fliegen	fliegt	flog	ist geflogen
fliehen	flieht	floh	ist geflohen
fließen	fließt	floss	ist geflossen
frieren	friert	fror	hat gefroren
geben	gibt	gab	hat gegeben
gefallen	gefällt	gefiel	hat gefallen
gehen	geht	ging	ist gegangen
gelingen	gelingt	gelang	ist gelungen
gelten	gilt	galt	hat gegolten
genießen	genießt	genoss	hat genossen
geschehen	geschieht	geschah	ist geschehen
gewinnen	gewinnt	gewann	hat gewonnen
haben	hat	hatte	hat gehabt
halten	hält	hielt	hat gehalten
hängen	hängt	hing	hat* gehangen
heißen	heißt	hieß	hat geheißen
helfen	hilft	half	hat geholfen
herausfinden	findet heraus	fand heraus	hat herausgefunden
hinweisen	weist hin	wies hin	hat hingewiesen
kennen	kennt	kannte	hat gekannt
klingen	klingt	klang	hat geklungen
kommen	kommt	kam	ist gekommen

Infinitiv	3. P. Sg. Präsens	3. P. Sg. Präteritum	3. P. Sg. Perfekt
können	kann	konnte	hat gekonnt
lassen	lässt	ließ	hat gelassen
laufen	läuft	lief	ist gelaufen
leihen	leiht	lieh	hat geliehen
lesen	liest	las	hat gelesen
liegen	liegt	lag	hat* gelegen
losfahren	fährt los	fuhr los	ist losgefahren
losgehen	geht los	ging los	ist losgegangen
messen	misst	maß	hat gemessen
mitbringen	bringt mit	brachte mit	hat mitgebracht
mitfahren	fährt mit	fuhr mit	ist mitgefahren
mitgehen	geht mit	ging mit	ist mitgegangen
mitkommen	kommt mit	kam mit	ist mitgekommen
mögen	mag	mochte	hat gemocht
müssen	muss	musste	hat gemusst
nachdenken	denkt nach	dachte nach	hat nachgedacht
nachschlagen	schlägt nach	schlug nach	hat nachgeschlagen
nehmen	nimmt	nahm	hat genommen
nennen	nennt	nannte	hat genannt
raten	rät	riet	hat geraten
reiten	reitet	ritt	ist geritten
rennen	rennt	rannte	ist gerannt
rufen	ruft	rief	hat gerufen
scheinen	scheint	schien	hat geschienen
schieben	schiebt	schob	hat geschoben
schlafen	schläft	schlief	hat geschlafen
schlagen	schlägt	schlug	hat geschlagen
schließen	schließt	schloss	hat geschlossen
schneiden	schneidet	schnitt	hat geschnitten
schreiben	schreibt	schrieb	hat geschrieben
schreien	schreit	schrie	hat geschrien
schweigen	schweigt	schwieg	hat geschwiegen
schwimmen	schwimmt	schwamm	ist geschwommen
sehen	sieht	sah	hat gesehen
sein	ist	war	ist gewesen
senden	sendet	sendete / sandte	hat gesendet / gesandt
singen	singt	sang	hat gesungen

Infinitiv	3. P. Sg. Präsens	3. P. Sg. Präteritum	3. P. Sg. Perfekt
sinken	sinkt	sank	ist gesunken
sitzen	sitzt	saß	hat* gesessen
sollen	soll	sollte	hat gesollt
sprechen	spricht	sprach	hat gesprochen
springen	springt	sprang	ist gesprungen
stattfinden	findet statt	fand statt	hat stattgefunden
stehen	steht	stand	hat* gestanden
stehlen	stiehlt	stahl	hat gestohlen
steigen	steigt	stieg	ist gestiegen
sterben	stirbt	starb	ist gestorben
stoßen	stößt	stieß	hat gestoßen
streiten	streitet	stritt	hat gestritten
teilnehmen	nimmt teil	nahm teil	hat teilgenommen
tragen	trägt	trug	hat getragen
treffen	trifft	traf	hat getroffen
treiben	treibt	trieb	hat getrieben
treten	tritt	trat	hat getreten
trinken	trinkt	trank	hat getrunken
tun	tut	tat	hat getan
übernehmen	übernimmt	übernahm	hat übernommen
übersehen	übersieht	übersah	hat übersehen
überweisen	überweist	überwies	hat überwiesen
umsteigen	steigt um	stieg um	ist umgestiegen
umziehen	zieht um	zog um	ist umgezogen
umziehen (sich)	zieht (sich) um	zog (sich) um	hat (sich) umgezogen
unterbrechen	unterbricht	unterbrach	hat unterbrochen
unterhalten (sich)	unterhält (sich)	unterhielt (sich)	hat (sich) unterhalten
unternehmen	unternimmt	unternahm	hat unternommen
unterscheiden	unterscheidet	unterschied	hat unterschieden
unterschreiben	unterschreibt	unterschrieb	hat unterschrieben
unterstreichen	unterstreicht	unterstrich	hat unterstrichen
verbinden	verbindet	verband	hat verbunden
verbrennen	verbrennt	verbrannte	hat verbrannt
verbringen	verbringt	verbrachte	hat verbracht
vergessen	vergisst	vergaß	hat vergessen
vergleichen	vergleicht	verglich	hat verglichen
verlassen	verlässt	verließ	hat verlassen

Infinitiv	3. P. Sg. Präsens	3. P. Sg. Präteritum	3. P. Sg. Perfekt
verleihen	verleiht	verlieh	hat verliehen
verlieren	verliert	verlor	hat verloren
vermeiden	vermeidet	vermied	hat vermieden
verschieben	verschiebt	verschob	hat verschoben
verschlafen	verschläft	verschlief	hat verschlafen
verschreiben	verschreibt	verschrieb	hat verschrieben
verschwinden	verschwindet	verschwand	ist verschwunden
versenden	versendet	versendete / versandte	hat versendet / versandt
versinken	versinkt	versank	ist versunken
versprechen	verspricht	versprach	hat versprochen
verstehen	versteht	verstand	hat verstanden
vertreten	vertritt	vertrat	hat vertreten
verwenden	verwendet	verwendete	hat verwendet
vorbeigehen	geht vorbei	ging vorbei	ist vorbei gegangen
vorbeikommen	kommt vorbei	kam vorbei	ist vorbeigekommen
vorhaben	hat vor	hatte vor	hat vorgehabt
vorkommen	kommt vor	kam vor	ist vorgekommen
vorlesen	liest vor	las vor	hat vorgelesen
vorschlagen	schlägt vor	schlug vor	hat vorgeschlagen
wachsen	wächst	wuchs	ist gewachsen
waschen (sich)	wäscht (sich)	wusch (sich)	hat (sich) gewaschen
wegbringen	bringt weg	brachte weg	hat weggebracht
wegfahren	fährt weg	fuhr weg	ist weggefahren
weggehen	geht weg	ging weg	ist weggegangen
weglassen	lässt weg	ließ weg	hat weggelassen
weglaufen	läuft weg	lief weg	ist weggelaufen
wehtun	tut weh	tat weh	hat wehgetan
weitergehen	geht weiter	ging weiter	ist weitergegangen
werden	wird	wurde	ist geworden
werfen	wirft	warf	hat geworfen
wiedererkennen	erkennt wieder	erkannte wieder	hat wiedererkannt
wiedergeben	gibt wieder	gab wieder	hat wiedergegeben
wiedersehen	sieht wieder	sah wieder	hat wiedergesehen
wiegen	wiegt	wog	hat gewogen
winken	winkt	winkte	hat gewinkt / gewunken
wissen	weiß	wusste	hat gewusst
wollen	will	wollte	hat gewollt

Infinitiv	3. P. Sg. Präsens	3. P. Sg. Präteritum	3. P. Sg. Perfekt
zerbrechen	zerbricht	zerbrach	hat zerbrochen
ziehen	zieht	zog	hat gezogen
zurückbringen	bringt zurück	brachte zurück	hat zurückgebracht
zurückgeben	gibt zurück	gab zurück	hat zurückgegeben
zurückgehen	geht zurück	ging zurück	ist zurückgegangen
zurückkommen	kommt zurück	kam zurück	ist zurückgekommen
zusammenhängen	hängt zusammen	hing zusammen	hat* zusammengehangen
zusammenstoßen	stößt zusammen	stieß zusammen	ist zusammengestoßen
zusenden	sendet zu	sendete / sandte zu	hat zugesendet / hat zugesandt

* in Süddeutschland, Österreich und der Schweiz auch: ist gehangen, ist gelegen, ist gesessen, ist gestanden

Die wichtigsten Konjunktiv-II-Formen

Infinitiv	3. P. Sg. Präteritum	3. P. Sg. Konjunktiv II
bleiben	blieb	bliebe
dürfen	durfte	dürfte
geben	gab	gäbe
gehen	ging	ginge
haben	hatte	hätte
kommen	kam	käme
können	konnte	könnte
lassen	ließ	ließe
müssen	musste	müsste
sein	war	wäre
werden	wurde	würde
wissen	wusste	wüsste

XII Verben mit Präpositionalergänzung

Die wichtigsten Verben mit Präpositionalergänzung

Infinitiv	Präposition	Beispiel
abhängen	von + Dat.	„Möchtest du einen Ausflug machen?" – „Das hängt vom Wetter ab."
achten	auf + Akk.	Sie achtet sehr auf ihre Kleidung.
anfangen	mit + Dat.	Wir fangen am 1. September mit dem Deutschkurs an.
ankommen	auf + Akk.	Hier kommt es auf deine Hilfe an.
anmelden (sich)	für + Akk.	Er meldet sich für einen Deutschkurs an.
	zu + Dat.	Sie meldet sich zum Training an.
antworten	auf + Akk.	Bitte antworte mir bald auf meine Mail.
ärgern, sich	über + Akk.	Er ärgert sich über seine schlechte Note in der Prüfung.
aufhören	mit + Dat.	Ich muss heute früher mit der Arbeit aufhören.
aufpassen	auf + Akk.	Sie passt jeden Freitag auf das Kind ihrer Nachbarin auf.
aufregen, sich	über + Akk.	Er regt sich immer über das schlechte Wetter auf.
aufteilen, sich	in + Akk.	Teilen Sie sich in Gruppen auf.
ausgeben	für + Akk.	Er gibt sehr viel Geld für Essen aus.
austauschen, sich	über + Akk.	Tauschen Sie sich über Ihre Meinungen aus.
bedanken, sich	bei + Dat.	Er bedankt sich bei seinen Freunden für ihre Hilfe.
	für + Akk.	
beitragen	zu + Dat.	Die Kooperation mit der Hochschule trägt zu unserem Erfolg bei.
bemühen, sich	um + Akk.	Sie bemüht sich um eine bessere Stellung.
berichten	über + Akk.	Berichten Sie im Kurs über Ihre Erfahrungen.
beschäftigen, sich	mit + Dat.	Er beschäftigt sich viel mit diesem Thema.
beschweren, sich	bei + Dat.	Sie beschwert sich beim Kellner über das kalte Essen.
	über + Akk.	
bestehen	aus + Dat.	Das Kursbuch besteht aus 30 Kapiteln.
beteiligen (sich)	an + Dat.	Ich werde mich auch an den Kosten beteiligen.
beteiligt sein	an + Dat.	Am Unfall waren ein Radfahrer und ein Autofahrer beteiligt.
bewerben, sich	um + Akk.	Er bewirbt sich um ein Praktikum.
beziehen, sich	auf + Akk.	Ich beziehe mich auf unser Gespräch am Montag.
bitten	um + Akk.	Wir bitten um Ruhe!
bleiben	bei + Dat.	Möchtest du noch bis morgen bei uns bleiben?
denken	an + Akk.	Ich denke oft an meine letzte Deutschlandreise.
diskutieren	über + Akk.	Wir diskutieren oft über Politik.
einladen	zu + Dat.	Ich möchte dich zu meinem Geburtstag einladen.
einschreiben (sich)	an + Dat.	Er schreibt sich an der Universität Leipzig ein.
	in + Akk.	Sie möchte sich in einen Bachelor-Studiengang einschreiben.
entscheiden, sich	für + Akk.	Ich entscheide mich für den Job in Hamburg.
entschließen, sich	zu + Dat.	Maren entschließt sich zu einem zweimonatigen Praktikum.

Infinitiv	Präposition	Beispiel
entschuldigen, sich	bei + *Dat.*	Er entschuldigt sich bei seinen Freunden für die Verspätung.
	für + *Akk.*	
erfahren	über + *Akk.*	Ich würde gerne mehr über meine Aufgaben erfahren.
	von + *Dat.*	Ich habe erst gestern von seiner Krankheit erfahren.
erholen, sich	von + *Dat.*	Im Urlaub kann sie sich vom Stress erholen.
erinnern (sich)	an + *Akk.*	Sie erinnert sich gerne an ihre Jugend.
erkennen	an + *Dat.*	Ich habe sie an ihrer roten Jacke erkannt.
erkundigen, sich	nach + *Dat.*	Er erkundigt sich nach den Abfahrtszeiten des Zuges.
erzählen	über + *Akk.*	Erzählen Sie uns etwas über Ihre Hobbys.
	von + *Dat.*	Ursula erzählt von ihrer Reise.
fragen	nach + *Dat.*	Kai fragt eine Frau nach dem Weg.
Freude haben	an + *Dat.*	Ich habe viel Freude an meinem neuen Fahrrad.
freuen, sich	auf + *Akk.*	Sie freut sich schon sehr auf die Party am Samstag.
	über + *Akk.*	Er hat sich sehr über das Geschenk gefreut.
führen	zu + *Dat.*	Die Diskussion hat zu keinem Ergebnis geführt.
fürchten, sich	vor + *Dat.*	Das Kind fürchtet sich vor der Hexe.
gehen	um + *Akk.*	Es geht um ein dringendes Problem.
gehören	zu + *Dat.*	Berlin gehört zu meinen Lieblingsstädten.
gewöhnen, sich	an + *Akk.*	Sie hat sich schnell an das kalte Wetter gewöhnt.
glauben	an + *Akk.*	Wir glauben an unseren Erfolg.
gratulieren	zu + *Dat.*	Ich gratuliere dir zum Geburtstag.
halten	für + *Akk.*	Ich halte das für keine gute Idee.
	von + *Dat.*	Was hältst du von der Idee?
handeln, sich	um + *Akk.*	Es handelt sich um ein wichtiges Projekt.
handeln	von + *Dat.*	Die Geschichte handelt von einem mutigen Kind.
helfen	bei + *Dat.*	Kannst du mir beim Umzug helfen?
hindern	an + *Dat.*	Das klingelnde Telefon hindert mich an der Arbeit.
hinweisen	auf + *Akk.*	Hiermit weise ich auf unser aktuelles Angebot hin.
hoffen	auf + *Akk.*	Der Bauer hofft auf besseres Wetter.
hören	von + *Dat.*	Sie hören von uns.
informieren (sich)	über + *Akk.*	Er informiert sich über Studienmöglichkeiten im Ausland.
interessieren, sich	für + *Akk.*	Sie interessiert sich sehr für Sprachen.
interessiert sein	an + *Dat.*	Carla ist sehr an Kunst interessiert.
kämpfen	für + *Akk.*	Die Menschen kämpfen für ihre Freiheit.
	gegen + *Akk.*	Die Arbeiter kämpfen gegen die schlechten Arbeitsbedingungen.
klagen	über + *Akk.*	Er klagt immer über die Lautstärke der Musik.
kommen	zu + *Dat.*	Wir sind leider zu keinem Ergebnis gekommen.

Infinitiv	Präposition	Beispiel
kümmern, sich	um + *Akk.*	Die Eltern kümmern sich liebevoll um ihre Kinder.
lachen	über + *Akk.*	Alle lachen über den Witz.
leiden	an + *Dat.*	Er leidet an einer schlimmen Krankheit.
	unter + *Dat.*	Sie leidet sehr unter der Trennung.
liegen	an + *Akk.*	Das liegt an der schwierigen Situation.
nachdenken	über + *Akk.*	Er denkt lange über seine Entscheidung nach.
protestieren	gegen + *Akk.*	Die Arbeiter protestieren gegen die neuen Arbeitszeiten.
rechnen	mit + *Dat.*	Mit diesem Problem habe ich nicht gerechnet.
reden	über + *Akk.*	Wir müssen noch einmal über diese Sache reden.
	von + *Dat.*	Er redet viel von Geld.
riechen	nach + *Dat.*	In der Bäckerei riecht es nach frischem Brot.
sagen	über + *Akk.*	Die Schüler sagen nur Positives über ihre Lehrerin.
	von + *Dat.*	Von diesem Problem hat er mir nichts gesagt.
	zu + *Dat.*	Was können Sie zu diesem Thema sagen?
schicken	an + *Akk.*	Markus schickt ein Paket an seine Schwester.
	zu + *Dat.*	Sonja braucht Medikamente. Sie schickt ihre Tochter zur Apotheke.
schimpfen	über + *Akk.*	Alle schimpfen über das Wetter.
schmecken	nach + *Dat.*	Das Gemüse schmeckt nach Bratwurst.
schreiben	an + *Akk.*	Er schreibt eine Mail an seinen Bruder.
sehen	nach + *Dat.*	Kannst du später nach den Kindern sehen?
sein	für + *Akk.*	Viele Leute sind für ein Rauchverbot.
	gegen + *Akk.*	Die Studenten sind gegen Studiengebühren.
sorgen	für + *Akk.*	Er sorgt für seine kranke Großmutter.
Sorgen machen, sich	um + *Akk.*	Die Eltern machen sich große Sorgen um ihr Kind.
sprechen	mit + *Dat.*	Die Studentin möchte mir dem Professor über ihre Hausarbeit sprechen.
	über + *Akk.*	
stammen	aus + *Dat.*	Das Museum stammt aus den 1950-er Jahren.
sterben	an + *Dat.*	Mein Großvater ist an einer schweren Krankheit gestorben.
stimmen	für + *Akk.*	Sie stimmt für die Kandidatin.
	gegen + *Akk.*	Er stimmt gegen ein Alkoholverbot.
streiten (sich)	mit + *Dat.*	Luise streitet sich oft mit ihrer Schwester.
	über + *Akk.*	Christian und Frank streiten sich immer über Politik.
	um + *Akk.*	Die Kinder streiten um das Spielzeug.
teilnehmen	an + *Dat.*	Sie nimmt regelmäßig am Seminar teil.
telefonieren	mit + *Dat.*	Ich telefoniere viel mit meiner besten Freundin.
treffen, sich	mit + *Dat.*	Er trifft sich jeden Mittwoch mit seinem besten Freund.
trennen (sich)	von + *Dat.*	Nele hat sich von ihrem Freund getrennt.

Infinitiv	Präposition	Beispiel
tun	für + *Akk.*	Sie sollten mehr für Ihre Gesundheit tun.
zu tun haben	mit + *Dat.*	Ich habe mit dieser Sache nichts zu tun.
überreden	zu + *Dat.*	Sie überredet ihren Freund zu einer Italienreise.
überzeugen	von + *Dat.*	Sie überzeugt ihn vom Gegenteil.
unterhalten, sich	mit + *Dat.*	Ich habe mich mit meinen Freunden lange über den Kinofilm unterhalten.
	über + *Akk.*	
unterscheiden (sich)	von + *Dat.*	Meine neue Wohnung unterscheidet sich kaum von der alten.
verabreden, sich	für + *Akk.*	Ich habe mich mit einem Freund für heute Abend zum Essen verabredet.
	mit + *Dat.*	
	zu + *Dat.*	
verabschieden, sich	von + *Dat.*	Wir verabschieden uns von unseren Gästen.
verbinden	mit + *Dat.*	Verbinden Sie die Bilder mit den Sätzen.
verfügen	über + *Akk.*	Sie verfügt über besondere Fachkenntnisse.
vergleichen	mit + *Dat.*	Vergleichen Sie das Bild mit dem Text.
verlassen, sich	auf + *Akk.*	Du kannst dich voll und ganz auf mich verlassen!
verlieben, sich	in + *Akk.*	Max hat sich in Lena verliebt.
verstehen	von + *Dat.*	Sie versteht nichts von moderner Kunst.
verstehen, sich	mit + *Dat.*	Er versteht sich gut mit seinem Bruder.
vorbereiten (sich)	auf + *Akk.*	Sie bereitet sich auf eine schwierige Prüfung vor.
warnen	vor + *Dat.*	Im Wetterbericht warnen sie vor starken Stürmen.
warten	auf + *Akk.*	Ich musste sehr lange auf den Bus warten.
werden	zu + *Dat.*	Er ist zu einem guten Freund geworden.
wissen	über + *Akk.*	Ich weiß nichts über seine Eltern.
	von + *Dat.*	Von diesem Problem weiß ich nichts.
wundern, sich	über + *Akk.*	Er wundert sich über die falsche Post.
zählen	zu + *Dat.*	Deutsch zählt zu den indoeuropäischen Sprachen.
zweifeln	an + *Dat.*	Ich zweifle an deinem Lösungsvorschlag.

Adjektiv <-e>, das: Der Pullover ist *neu*. Der *neue* Pullover.

Adverb <-ien>, das: Schwimmst du *auch* gern?

„aduso"-Konnektor <-en>, der: = die Konnektoren *aber, denn, und, sondern, oder*

Agens, das (→ **Passiv**): Die Produktion wird ab 1950 wieder *von der Firma* aufgenommen.

Aktiv, das (→ **Passiv**): 1912 *gründen* die Eheleute Ritter die Firma Ritter. 1950 *nimmt* die Firma die Produktion wieder *auf*.

Akkusativ, der (→ **Akkusativergänzung** → **Kasus**): (Ich fotografiere) *den / einen Markt*; *die / eine* Kirche; *das / ein Museum*

Akkusativergänzung <-en>, die (→ **Akkusativ**): Ich kenne *die Frau*. Hier gibt es *einen Markt*. Frage: *Wen? / Was?*

Alternative <-en>, die: *Entweder* wir gehen ins „Criminal Dinner" *oder* wir sehen die „Dreigroschenoper". Wir können *entweder* ins „Criminal Dinner" *oder* in das Musical gehen.

Artikel (unbestimmter / bestimmter) <->, der: *ein / der* Vater; *ein / das* Kind; *eine / die* Mutter; *– / die* Eltern

Aussagesatz <"e>, der (→ **W-Frage**): Was macht Sylvie? – *Sie macht den Haushalt.*

Dativ, der (→ **Dativergänzung** → **Kasus**): (Das gehört) oder (Ich helfe) *dem / einem Mann*; *der / einer Frau*; *dem / einem Kind*

Dativergänzung <-en>, die (→ **Dativ**): Ich helfe *der Schwester*. Frage: *Wem?*

Demonstrativartikel <->, der: Welches Kleid möchtest du? – *Dieses* blaue Kleid. Das ist nicht mehr *dieselbe* Stadt, in der wir vor 30 Jahren studiert haben.

Demonstrativpronomen <-> / <Demonstrativpronomina>, das: Welches Kleid möchtest du? – *Dieses*.

Diminutiv <-e>, der (= die Verkleinerungsform): Ich habe keine Tasche, sondern ein *Täschlein*. Ich wohne nicht in einem Haus, sondern in einem *Häuschen*.

Endung <-en>, die: Ich komme morgen. (→ Endung: *-e*), Geh*st* du schon? (→ Endung: *-st*)

Femininum <Feminina>, das (→ **Genus**): *die / eine* Frau; *die / eine* E-Mail

Finalsatz <"e>, der: *Zum Mitmachen* braucht man keine Vorkenntnisse. Man braucht keine Vorkenntnisse, *um* mitzumachen. *Damit* man mitmachen kann, braucht man keine Vorkenntnisse.

Fragewort <-e>, das: *Wie* heißt du? *Was* machst du morgen? *Welches* Hemd gefällt dir besser?

Futur I, das: Wir *werden* ab August zusammen in Berlin *wohnen*.

Gemischtes Verb <Gemischte Verben>, das (→ **Regelmäßiges Verb** → **Unregelmäßiges Verb**): Ich *renne* nach Hause. Ich *rannte* nach Hause. Ich *bin* nach Hause *gerannt*.

Genitiv, der (→ **Genitivergänzung** → **Kasus**): (Die Erstellung) *des Übungsplans* / (Die Beachtung) *des Rezepts* / (die Beratung) *der Kundin* → Frage: *Wessen?*

Genitivergänzung <-en>, die (→ **Genitiv**): Wegen *des Übungsplans* gab es Probleme. Ich entsinne mich gerne *meiner Zeit* in Australien. → Frage: *Wessen?*

Genus <Genera>, das: Maskulinum, Neutrum, Femininum

Hauptsatz <"e>, der: *Die Kundin fragt. Die Kundin hat gefragt,* ob das Produkt schon da ist.

Hauptsatz-Konnektor <-en>, der (→ **Verbindungsadverb**): Ich soll Sport machen. *Darum* gehe ich walken. Ich bin nicht gut in Mathe, *trotzdem* möchte ich Betriebswirtschaft studieren.

Hilfsverb <-en>, das (→ **Vollverb**): Wir *sind* in den Urlaub gefahren. Der Fallschirm *wird* gebracht. Ich *habe* einen Tandemsprung gemacht.

Imperativsatz <"e>, der: *Kommen Sie bitte! Komm doch bitte! Kommt doch bitte!*

Indefinitartikel <->, der (→ **Artikel**): *ein / jeder / irgendein / mancher* Vater; *ein / jedes / irgendein / manches* Kind; *eine / jede / irgendeine / manche* Mutter; *alle / viele / wenige / irgendwelche / manche* Eltern

Indefinitpronomen <-> / <Indefinitpronomina>, das: Ich suche *etwas*. Ich brauche *nichts*. Kommen *alle*? Kennst du *irgendjemanden*? *Manche* gefallen mir.

Indirekter Fragesatz <Indirekte Fragesätze>, der: Weißt du, *ob er morgen Zeit hat*? Ich möchte wissen, *wann er kommt*.

Infinitivsatz <"e>, der: Irina *hat Lust, das Hafenfest zu besuchen*.

Irreale Annahme <-n>, die (→ **Konjunktiv II**): Peter ist heute hier. – Wirklich? Ich dachte, er *wäre* krank.

Irrealer Konditionalsatz <Irreale Konditionalsätze>, der (→ **Konjunktiv II**): *Wenn* ich nicht so unordentlich *wäre, könnte* ich jetzt nachforschen. *Wäre* ich nicht so unordentlich, *könnte* ich jetzt nachforschen.

Irrealer Wunschsatz <Irreale Wunschsätze>, der (→ **Konjunktiv II**): *Wenn* ich nur mehr Zeit zum Reisen *hätte*! *Hätte* ich bloß mehr Zeit zum Reisen!

Ja / Nein-Frage <-n>, die: *Kommst du aus Rom?* Ja, ich komme aus Rom. / Nein, aus Paris.

Kasus <->, der: Nominativ, Akkusativ, Dativ, Genitiv

Kausalsatz <"e>, der: *Da / Weil* ich Sport machen soll, gehe ich walken. Ich soll Sport machen. *Darum / deshalb / deswegen / daher* gehe ich walken. Ich gehe walken. Ich soll *nämlich* Sport machen.

Komparativ <-e>, der (→**Superlativ** → **Vergleichssatz**): *Komparativ prädikativ:* Der Strandurlaub *ist schöner*. Das Meer *ist sauberer*. Das Essen *ist besser*. *Komparativ attributiv:* Der *schönere* Strand ist auch sehr teuer. *Im* sau*bereren* Meer leben viele Tiere. *Das bessere* Essen ist auch gesünder.

Kompositum <Komposita>, das (→ **Zusammengesetztes Nomen**): der Gemüseauflauf → Bestimmungswort (das Gemüse) + Grundwort (der Auflauf) = Zusammensetzung (der Gemüseauflauf)

Konditionalsatz <¨e>, der: *Wenn* Rui Geld anlegen will, kann er es auf ein Sparkonto einzahlen./Rui kann Geld auf ein Sparkonto einzahlen, *wenn* er es anlegen will.

Konjunktiv II, der: *Würdest* du mir bitte *helfen*? (Bitte) Du *solltest* mit den Eltern *sprechen*. (Ratschlag) *Hätte* ich bloß mehr Zeit zum Reisen! (Irrealer Wunsch)

Konnektor <-en>, der: Kommst du heute *oder* morgen? – Ich komme morgen, *denn* ich muss arbeiten.

Konsekutivsatz <¨e>, der: Potsdam hat eine schöne Umgebung, *sodass* Malika viele Ausflüge machen möchte. Potsdam hat eine *so* schöne Umgebung, *dass* Malika viele Ausflüge machen möchte. Viele Lerner ärgern sich über Fehler. *Also/Folglich* sehen sie die Fehler als etwas Negatives. Viele Lerner ärgern sich über Fehler. Sie sehen *also/folglich* Fehler als etwas Negatives.

Konsonant <-en>, der: *b, c, d, f, g, h, j, k, l, m, n, p, q, r, s, t, v, w, x, z*

Konzessivsatz <¨e>, der: *Obwohl* ich nicht gut in Mathe bin, möchte ich Betriebswirtschaft studieren. Ich möchte Betriebswirtschaft studieren, *obwohl* ich nicht gut in Mathe bin. Ich bin *zwar* nicht gut in Mathe, *aber* ich möchte Betriebswirtschaft studieren. Ich bin nicht gut in Mathe. *Trotzdem/Dennoch* möchte ich Betriebswirtschaft studieren.

Maskulinum <Maskulina>, das (→ **Genus**): *der/ein* Arzt; *der/ein* Brief

Modalpartikel <-n>, die: Das ist *ja* toll! Komm *doch* heute Abend. Wenn ich *bloß* mehr Zeit hätte!

Modalverb <-en>, das: Er *will/kann/darf/soll/möchte/mag/muss* jetzt nichts sagen. Er *wollte/konnte/durfte/sollte/mochte/musste* nichts sagen. Er *hat* nichts sagen *wollen/können/dürfen/sollen/mögen/müssen*.

Modus <Modi>, der: Imperativ, Indikativ, Konjunktiv II

n-Deklination, die: Ich helfe *dem* Herr*n*. Das ist das Auto *unseres* Nachbar*n*.

Nebensatz <¨e>, der: Die Kundin hat gefragt, *ob das Produkt schon da ist*. Der Verkäufer informiert sie, *dass es schon da ist*.

Nebensatz-Konnektor <-en>, der (→ **Subjunktion**): *Da* ich Sport machen soll, gehe ich walken. Ich möchte Betriebswirtschaft studieren, *obwohl* ich nicht gut in Mathe bin.

Negation, die (= die Verneinung): Nein, ich komme heute *nicht*. Nein, ich habe *keine* Zeit. Er ist *un*pünktlich. Ist der Autoschlüssel irgendwo? Nein, ich kann ihn *nirgendwo/nirgends* finden.

Negativartikel <->, der: Nein, ich habe *keinen* Pullover, *keine* Jacke, *kein* Hemd und *keine* Schuhe.

Neutrum <Neutra>, das (→ **Genus**): *das/ein* Mädchen; *das/ein* Brot

Nomen <->, das: der Vater/der Name; das Kind/das Foto; die Mutter/die E-Mail

Nominativ, der (→ **Subjekt/Nominativergänzung** → **Kasus**): *Das Praktikum* (gefällt Jan.) *Er* (bleibt 2 Monate.)

Nominativergänzung <-en>, die (→ **Nominativ**): Ich bin *eine Freundin* von Silke. Er wird *Arzt*. Frage: *Wer?/Was?*

Nullartikel <->, der (= ohne Artikel): Ich brauche noch ~~ein~~ Brot. Er ist ~~ein~~ Arzt. Sie ist ~~eine~~ Schweizerin.

Numerus <Numeri>, der: Singular und Plural

Ortsangabe im Satz <Ortsangaben im Satz>, die (→ **Zeitangabe im Satz**): Jörg ist heute *bei einem Freund*. Er geht morgen wieder *zu einem Freund*. Er kommt am Abend *von einem Freund*. → Fragen: *Wo?/Wohin?/Woher?*

Ortsangabe im Akkusativ/Dativ <Ortsangaben im Akkusativ/Dativ>, die (→ **Wechselpräpositionen**): Ortsangaben im Akkusativ: Jörg fährt *nach* Wien. Er fährt *auf den* Ring. Er geht *ins* Wien-Museum. → Frage: *Wohin?* Ortsangaben im Dativ: Jörg übernachtet *bei* Michael. Er ist oft *im* Kino. Michael wohnt *gegenüber von der* U-Bahnstation. → Frage: *Wo?*

Partikel <-n>, die: Das ist *ja* toll! Komm *doch* heute Abend. Wenn ich *bloß* mehr Zeit hätte!

Partizip Perfekt <Partizipien Perfekt>, das (= Partizip II) (→ **Perfekt**): Ich bin gestern im Deutschkurs *gewesen*. → Ich habe viel *gelernt*. Die neu *gelernten* Wörter muss ich heute wiederholen.

Partizip Präsens <Partizipien Präsens>, das (= Partizip I): Die drei Monate bei Familie Egger waren *anstrengend*. Familie Egger ist für Bernd ein *leuchtendes* Vorbild.

Passiv, das (→ **Aktiv** → **Agens**): Passiv Präteritum: Die Firma Ritter *wurde* 1912 von den Eheleuten Ritter *gegründet*. Passiv Präsens: Die Produktion *wird* ab 1950 von der Firma wieder *aufgenommen*. Passiv Perfekt: Ich *bin* leicht *verletzt worden*. Passiv Plusquamperfekt: Friedrich III. *war* zum Preußenkönig *gekrönt worden*. Passiv mit Modalverb: Der Nachbar *muss* noch weiter *behandelt werden*. „sein"-Passiv: Der Fahrer *ist verletzt*.

Perfekt, das (→ **Partizip Perfekt** → **Tempus**): Ich *bin* im Kino *gewesen*. → Ich *habe* den Film *gesehen*.

Personalpronomen <->/<Personalpronomina>, das: Das ist Carlos. *Er* ist der neue Praktikant.

Plural (Pl.), der (→ **Singular** → **Numerus**): ein Haus (Sg.) ↔ *zwei Häuser* (Pl.)

Plusquamperfekt, das (→ **Tempus**): Sie *hatten* eine lange Bustour durch Berlin *gemacht*. Dann *waren* sie zum Potsdamer Platz *gelaufen*.

Possessivartikel <->, der: Das ist *mein* Sohn, *deine* Tochter. Das ist *sein/ihr/sein* Kind. Das sind *unsere/eure/ihre* Eltern.

Possessivpronomen <->/<Possessivpronomina>, das: Ist das dein Tisch? – Ja, das ist *meiner*. Ist das dein Regal? – Nein, das ist *seins*. Ist das ihre Kommode? – Ja, das ist *ihre*.

Präposition <-en>, die: Er kommt *aus* Österreich. Er fährt *mit* dem *Zug nach* Berlin. Er macht ein Foto *für* sie. *Wegen* ihres Jobs ist sie viel *innerhalb* Europas unterwegs. *Trotz* des Schnees fahren die Züge.

Präpositionalpronomen <->/<Präpositionalpronomina>, das (= Präpositionaladverb): Bernd arbeitet bei Frau Egger. Er freut sich *darüber*. Er hat ein kleines Zimmer. *Darin* stehen wenig Möbel.

Präsens, das (→ **Tempus**): Ich *komme* heute. Er *arbeitet* viel. Sie *besucht* uns morgen. 1911 *kommt* Paul Klee zur Künstlergruppe „Blauer Reiter". (historisches Präsens)

Präteritum, das (→ **Tempus**): Gestern *war* ich zu Hause. Ich *hatte* Besuch. Er *ging* um 22.00 Uhr.

Reflexivpronomen <->/<Reflexivpronomina>, das (→ **Reflexives Verb**): Ich wasche *mich*. Er wäscht *sich*. Du merkst *dir* den Namen. Reziproke Bedeutung: Wir helfen uns *gegenseitig / einander*.

Reflexives Verb <Reflexive Verben>, das (→ **Reflexivpronomen**): Ich *wasche mich*. Ich *trockne mir* die Haare.

Regelmäßiges Verb <Regelmäßige Verben>, das (→ **Gemischtes Verb** → **Unregelmäßiges Verb**): Ich *suche* ihn. Ich *suchte* ihn. Ich *habe* ihn *gesucht*. Ich *starte*. Ich *startete*. Ich *bin gestartet*.

Relativpronomen <->/<Relativpronomina>, das (→ **Relativsatz**): Ich habe mit meinem Vater gesprochen, *der* mir geholfen hat. Ich habe ein Auto, *das* nicht teuer war. Ich hatte eine Beraterin, *die* sehr kompetent war. Der Befragte ist Stammwähler, *worauf* er stolz ist. Das, *was* die Befragten interessiert, sind Wahlen. Die Freunde, *derer* wir gedenken, sind tot.

Relativsatz <¨e>, der (→ **Relativpronomen**): Ich habe mit meinem Vater gesprochen, *der mir geholfen hat*. Ich habe ein Auto, *das nicht teuer war*. Ich hatte eine Beraterin, *die sehr kompetent war*. Der Befragte ist Stammwähler, *worauf er stolz ist*. Das, *was die Befragten interessiert*, sind Wahlen. Die Freunde, *derer wir gedenken*, sind tot.

Singular (Sg.), der (→ **Plural** → **Numerus**): *ein Haus* (Sg.) ↔ *zwei Häuser* (Pl.)

Subjekt <-e>, das (→ **Nominativ**): *Das Praktikum* gefällt Jan. *Er* bleibt 2 Monate. Frage: *Wer? / Was?*

Subjunktion <-en>, die (→ **Nebensatz-Konnektor**): *Da* ich Sport machen soll, gehe ich walken. Ich möchte Betriebswirtschaft studieren, *obwohl* ich nicht gut in Mathe bin.

Suffix <-e>, das: freund*lich* (→ Suffix: -lich), die Wohn*ung* (→ Suffix: -ung)

Superlativ <-e>, der (→ **Komparativ**): Superlativ prädikativ: Der Strandurlaub ist *am schönsten*. Das Meer ist *am saubersten*. Das Essen ist *am besten*. Superlativ attributiv: *Der schönste* Strandurlaub ist auch sehr teuer. *Im saubersten* Meer leben viele Tiere. *Das beste* Essen ist auch gesünder.

Temporalsatz <¨e>, der: *Als* er im Laden war, gab es ein großes Gedränge. Sie ist krank, *seit(dem)* sie so viel arbeitet. *Bis* sie wieder gesund ist, bleibt sie zu Hause. Immer *wenn* er das Zelt zusammengedrückt hat, hat es sich geöffnet. Vorzeitigkeit: *Nachdem* wir es bis zum Hotel geschafft hatten, fing es an zu regnen. Gleichzeitigkeit: *Während* wir dort Kaffee getrunken haben, hat es geregnet. Nachzeitigkeit: *Bevor* wir losgehen konnten, mussten wir bezahlen.

Tempus <Tempora> (= die Zeit): Plusquamperfekt, Präteritum, Perfekt, Präsens, Futur I

Umlaut <-e>, der: ä, ö, ü

Unregelmäßiges Verb <unregelmäßige Verben>, das (→ **Gemischtes Verb** → **Regelmäßiges Verb**): Ich *finde* das Buch nicht. Ich *fand* das Buch nicht. Ich *habe* das Buch nicht *gefunden*.

Verb <-en>, das: *kommen, arbeiten, schreiben*

Verb mit trennbarer Vorsilbe, das: Ich *rufe* dich *an*. Ich *rief* dich *an*. Ich habe dich *angerufen*.

Verb mit untrennbarer Vorsilbe, das: Ich *erreiche* ihn nicht. Ich habe ihn nicht *erreicht*. Ich *besuche* dich. Ich habe dich *besucht*.

Verbstamm <¨e>, der (→ **Verb**): *komm*en, *wohn*en, *üb*en

Verbindungsadverb <-ien>, das (→ **Hauptsatz-Konnektor**): Ich soll Sport machen. *Darum* gehe ich walken. Ich bin nicht gut in Mathe, *trotzdem* möchte ich Betriebswirtschaft studieren.

Vergleichssatz <¨e>, der (→ **Komparativ**): Ein Strandurlaub ist *schöner als* ein Wanderurlaub. Die Ostsee ist *genauso sauber wie* die Nordsee.

Verhältnisse ausdrücken: *Je* später der Abend, *desto* schöner die Gäste.

Vokal <-e>, der: *a, e, i, o, u, y*

Vokalwechsel <->, der: ich spreche → du sprichst, ich fahre → er fährt

Vollverb <-en>, das (→ **Hilfsverb**): Du *bist* sehr aktiv. Du *hast* keine Angst. Du *wirst* ja noch eine Supersportlerin.

Wechselpräposition <-en>, die (→ **Ortsangabe im Akkusativ / Dativ**): Wohin? + Akkusativ: Stell den Kaffee *in das Regal*. → Wo? + Dativ: Der Kaffee steht *im Regal*.

W-Frage <-n>, die: *Woher* kommst du? *Wie* heißt du? *Wo* wohnst du? etc.

Zeitangabe im Satz <Zeitangaben im Satz>, die (→ **Ortsangabe im Satz**): Jörg war *gestern zwei Stunden* im Museum. → Fragen: *Wann? / Wie lange?*

Zusammengesetztes Nomen <zusammengesetzte Nomen>, das (→ **Kompositum**): der Gemüseauflauf → Bestimmungswort (das Gemüse) + Grundwort (der Auflauf) = Zusammensetzung (der Gemüseauflauf)

Zweiteiliger Konnektor <zweiteilige Konnektoren>, der: Innsbruck bietet *sowohl* Kultur *als auch* Natur. Das Restaurant ist *weder* besonders schick *noch* ist die Speisekarte aufregend.